UN ÉTÉ,
TROIS GRÂCES

Catalogage avai. publication de Bibliothèque
et Archives nationale. du Québec
et Bibliothèque et Archive. Canada

Titre : Un été, trois Grâces : récits de scène et de vie /
Louise Portal, Marie-Lou Dion, Christiane Pasquier.
Noms : Portal, Louise, auteur. | Pasquier, Christiane, 1947-
auteur. | Dion, Marie-Lou, 1948- auteur.
Collections : Reliefs.
Description : Mention de collection : Reliefs
Identifiants : Canadiana 2020007511X | ISBN 9782897115203
Vedettes-matière : RVM: Portal, Louise—Amis et relations. |
RVM : Pasquier, Christiane, 1947-—Amis et relations. |
RVM : Dion, Marie-Lou, 1948-—Amis et relations. | RVM :
Actrices—Québec (Province)—Biographies. | RVM : Amitié
féminine—Québec (Province)—Récits personnels. | RVM :
Théâtre—Québec (Province)—Histoire—20ᵉ siècle—Récits
personnels.
Classification : LCC PN2307.E84 2020 | CDD 792.02/
80922714—dc23

Direction littéraire : Anne-Marie Villeneuve
Édition : Luc Roberge et Anne-Marie Villeneuve
Assistance à l'édition : Elisanne Crevier
Révision linguistique : Valérie Quintal et Anne-Laure Brun
Assistance à la révision linguistique : Antidote 10
Maquette intérieure : Anne Tremblay
Mise en pages et versions numériques : Studio C1C4
Conception graphique de la couverture : Anne Tremblay
Photographie en quatrième de couverture : André Le Coz
Diffusion : Druide informatique

Les Éditions Druide remercient le Conseil des arts
du Canada et la SODEC de leur soutien.
Gouvernement du Québec – Programme de crédit d'impôt
pour l'édition de livres – Gestion SODEC.
Ce projet a été rendu possible en partie grâce
au gouvernement du Canada.

Canadä

ISBN PAPIER : 978-2-89711-520-3
ISBN EPUB : 978-2-89711-521-0
ISBN PDF : 978-2-89711-522-7

Éditions Druide inc.
1435, rue Saint-Alexandre, bureau 1040
Montréal (Québec) H3A 2G4
Téléphone : 514-484-4998

Dépôt légal : 3ᵉ trimestre 2020
Bibliothèque et Archives nationales du Québec
Bibliothèque et Archives Canada

Imprimé au Canada

LOUISE PORTAL

CHRISTIANE PASQUIER

MARIE-LOU DION

UN ÉTÉ, TROIS GRÂCES

Récits de scène et de vie

Druide

LOUISE

L'ÉTÉ DE NOS VINGT ANS

Été 1975

La saison estivale soupirait déjà. À la fenêtre de ma petite chambre, je l'entendais dans la brise qui frôlait les arbres, ombrelles pour mon âme amoureuse, fragilisée par trop d'attente.

On nous surnommait Les Trois Grâces. Jeunes comédiennes au milieu de la vingtaine, nous jouions, pour tout un été, au légendaire Théâtre La Marjolaine, à Eastman. C'était une comédie musicale où, chaque soir, nous chantions l'amour d'une Madeleine de Verchères que j'interprétais avec bonheur, en compagnie de mes partenaires, Cricri et Marilou. Je les appelais ainsi alors. J'étais la Lou du trio. Une quatrième Grâce, du nom de Loulou, nous chorégraphiait des numéros de danse à claquettes qui enchantaient nos soirées au théâtre.

Louise, Christiane, Marie-Lou et Maryse Pelletier dans *Madeleine de Verchères*
© André Le Coz

Nous habitions toutes les trois dans un charmant petit chalet surnommé l'Oasis, qui avait fait son nid sous des sapins de haute stature. Le parterre était traversé d'un ruisseau au bord duquel j'ai versé les larmes de cette princesse en attente dont j'avais endossé le rôle, dans ma vie comme sur la scène. En ces années de ma jeunesse, je me laissais trop souvent prendre au mirage de la séduction, du désir fulgurant qui envoûtait la romantique que j'étais. J'avais d'ailleurs inscrit dans mon cahier :

Je suis une romantique, une amoureuse éternelle,
morte d'avance et en retard d'un siècle.

Un été brûlant pour nous trois, tant sur les planches, à jouer, à chanter et à danser, que dans nos lits, à recevoir les princes de la nuit. Des musiciens, des acteurs, quelquefois de jeunes hommes épris, envoûtés par notre beauté et notre rayonnement d'artistes de la scène. Il y avait de quoi être admiratif : nos vingt ans nous sculptaient des corps voluptueux. Nous étions de jeunes femmes libres qui, sans pudeur, offraient leurs désirs à qui voulait venir se blottir entre leurs draps. Les trois chambrettes du petit chalet murmuraient alors des refrains-passions, à l'unisson.

J'avais vingt-cinq ans. J'étais submergée par une quête d'amour que j'avais peine à comprendre, qui consumait mes jours plongés dans l'attente et mes nuits désolées, à espérer le retour de celui que je surnommais le Chevalier célèbre. Il me faisait languir par ses absences et par ses promesses non tenues. De plus, la distance entre nous creusait un gouffre d'incompréhension dans mon âme énamourée.

Il faisait carrière à Los Angeles, et moi, je jouais dans ce petit théâtre d'été la complainte d'une Madeleine.

Pour coucher sur papier mes émois d'amoureuse, je commençai à rédiger le récit de mes jours dans un cahier qui, au fil des années, a fait naître mon premier livre, *Jeanne Janvier*[1].

Mon Chevalier s'en vient. Je suis nerveuse comme à un premier rendez-vous. Nous avons tellement à reprendre, à poursuivre… Je viens m'asseoir à la table des soupers champêtres, dans le sous-bois odorant. J'ai un corps de fillette, bleu marin. Le foulard turquoise est ma seule beauté. Amoureuse échappée, mes chandails de laine, garnis de perles, dorment à la ville. L'hiver se cache dans mes fourrures dorées. Je suis partie vivre l'été et ne sais quand je reviendrai.

Soir de relâche au Théâtre La Marjolaine. Je ne joue pas. J'attends mon Chevalier, voilà tout ce que je sais.

Vingt heures. Il n'est pas venu…

Es-tu en train de me mentir dans cette absence qui se prolonge ? Dans ces rendez-vous que tu donnes et ne respectes pas ? Que fais-tu ? Cherches-tu à dire quelque chose ? Est-ce que tu tiens à moi ? Si tu ne soupçonnais qu'une parcelle de ce dont mon cœur est fait, tu arriverais en courant, car à me décevoir ainsi, tu risques de me perdre à jamais. Prends garde, mon amour. Je peux, un matin, dévisser mes talons et m'en aller au loin. Très loin. En cette minute, je t'en veux de tuer tous ces précieux moments que je préparais pour toi.

---

1 Libre Expression, 1981. Réédité sous le titre *Souvenirs d'amour – Le journal de mes vingt ans*, Hurtubise, 2010.

Trois heures du matin, mes amies parlent dans la cuisine. Je me retire dans ma chambre, je m'absente de tout ce qui est extérieur à moi. Mon tablier, je le dépose au seuil de la nuit. Amoureuse. Servante déçue. On parle dans la cuisine. On parle trop fort... Silence, silence, envahis-moi. Drapée dans le mutisme, enfouie, je dois partir à ma recherche. Que me réserve le prochain matin? Que me réserve septembre? Que serai-je devenue? Quelle couleur, quel mouvement aura ma vie? Serons-nous deux? Serai-je une planète? Basculerai-je dans le néant? Serai-je vivante? Serai-je pierre ou sirène? Je me retire... Je me demande si je ne suis pas en train de me noyer.

Malgré moi, de la fenêtre de ma chambre, je guette la route, le passage d'une voiture, espérant ta venue. Je ne veux plus t'attendre, mais tout mon être est en suspens... Je n'ai plus aucune énergie que celle de ma désespérance. Évanouie, je ne peux plus rien faire, rien dire, rien écrire. Mes prunelles se voilent, mes cheveux noués m'emprisonnent la tête, ma gorge brûle, mes mains sont paralysées de ne pouvoir te toucher. Je me sens comme une princesse emprisonnée dans de la cellophane. J'étouffe. J'éteins mes mégots dans un cendrier plein d'eau. Des noyades. Je n'ai même pas de peine, je suis déçue, écœurée, vidée. En souvenir de nos amours, je pleure en silence...

Je fus un papillon au cœur du mois de mai, qui devint femme entre vos bras, et je reprends à présent mon envol transparent. Vous n'avez pu tenir parole, Chevalier.

Je suis grande aujourd'hui et j'ai de moins en moins peur de la vie.

Mes sœurs de scène, Christiane et Marie-Lou, en faisaient tout autant. Chaque jour, durant cet été, nous avons confié à notre petit cahier la rumeur de nos cœurs.

Si je reprends la plume aujourd'hui, quelque quarante ans plus tard, afin de remonter le fil du temps, c'est pour poser un regard bienveillant sur ces années de jeunesse qui ont forgé ma nature d'amoureuse, sculpté mon corps dans la passion, ennobli mon aptitude au bonheur et raffermi ma confiance en un destin qui me faisait signe. Mon regard s'attendrit en revoyant celle qui chantait:

Je porte au cou le rêve fou
D'une guerrière sanguinaire
Je porte au cou le rêve fou
De mes espoirs d'être aimée.
Ami tu passes et puis s'efface
Le goût discret de tes baisers.

Les paroles avaient été écrites par feu Albert Millaire, metteur en scène de la pièce dont il était également le coauteur avec feu Jean Besré, mon partenaire télévisuel de l'époque dans le téléroman *La Petite Semaine*. Un texte à l'image de nos vingt ans, une création qui racontait notre quête avec tendresse et humour. Au fil du temps, ma mémoire a abandonné bien des choses derrière elle, mais je garde un vibrant souvenir de cette chanson que j'interprétais, blottie entre les bras de mon magnifique partenaire, Jean Perraud, qui, lui aussi, s'en est allé depuis. Tout comme notre si chère Marjolaine Hébert, la fondatrice, propriétaire et directrice de ce théâtre mythique qui existe depuis plus de cinquante-cinq ans au cœur du charmant village qu'est Eastman, lieu de l'Homme de l'Est, comme je le nomme dans mes écrits.

Hier, je suis passée devant l'Oasis. La pancarte À VENDRE annonce un départ, peut-être la fin d'un amour. Lorsqu'on se sépare, on laisse le passé derrière soi. Mais on revient toujours sur les lieux qui nous ont aimés. Depuis deux ans, je vis à quelques kilomètres de mon oasis d'été, dans une maison-château que nous avons fait construire, mon mari et moi, face à la montagne bleue qui s'étend sur tout le paysage de mon regard. À ses pieds, la vallée de l'Homme de l'Est, surnommée ainsi parce qu'un homme semble dormir sur la montagne, son corps assoupi renversé sur le dos et contemplant le ciel. La nuit, comme lui, j'observe les étoiles. Ce n'est qu'au matin que le miracle survient. Je n'en parle à personne. De très bonne heure, quand la forêt tout autour secoue ses perles, descendent de la montagne bleue mes parents, mes aïeuls, mes amis disparus. Un chant s'élève.

Mon enfance m'apparaît.[2]

L'Amour dans mon enfance

Comment ai-je été aimée dans mon enfance ? Dorlotée, gâtée au sein d'une famille de professionnels, comme on la désignait à l'époque. Mon père était médecin. J'ai grandi dans une vaste maison chaleureuse, entourée d'amour et d'objets d'art. Le nid de mon enfance était douillet. Avec ma sœur jumelle Pauline, nous étions les aînées d'une famille de cinq enfants. Clan heureux, animé et joyeux. Chacune des fêtes était célébrée avec beaucoup de créativité culinaire et artistique, et empreinte de générosité.

Je n'ai jamais été témoin d'une chicane entre mes parents. Pourtant, j'ai fini par connaître certaines tempêtes qu'ils ont traversées. Mais sur leur intimité, mes parents demeuraient discrets. C'était ainsi dans les familles des années 1950.

---

2   *L'enchantée*, Québec Amérique, 2001.

Papa était mon idole, mon phare. J'aurai avec lui une relation proche, intime, sorte de liaison épistolaire. Il m'écrira, tout au long de ma vie, de longues missives émouvantes et profondes, jusqu'à son décès quelques semaines avant mes trente ans. Je deviendrai, en quelque sorte, la confidente d'un père en proie à certains tourments. Ce fut un poids, une responsabilité, pour la jeune femme que j'étais alors, en pleine quête existentielle.

J'apprendrai, vers l'âge de vingt-sept ans, au retour d'un long voyage, que mon père, mon papa, avait depuis longtemps une vie secrète.

Un choc!

Un tremblement traversera tout mon être. Comment aimer avec détachement? Accueillir l'autre dans sa différence? Le respecter, lui offrir son empathie? Surtout quand il s'agit de son père…

J'écris. Muette pendant des années, blottie au chaud dans mon rêve, je grandissais en âge: cinq, huit, neuf, douze, quinze ans… Mon bonheur était sans fenêtre, tapi dans l'inconscience et le mensonge. Mes yeux jardins regardaient pousser la vie, j'étais bercée par l'illusion. Pas un seul divan qui ne me déshabillait pas. Je devins une courtisane des villes, apeurée, délirante, sans cesse inassouvie. De ces temps, je revins brisée, pour être ranimée, un matin de délivrance, dans l'aveu de mon père du secret tourment de sa vie. J'ai pleuré alors comme une enfant à qui on arrache un jouet; le plus ancien, celui qui éveille les joies les plus tendres. L'enfant déboussolé agonisait. La femme en devenir pleurait avec lui. Et ensemble, l'enfant et la femme ont décidé de renaître. Ce fut lent, difficile, terrible parfois, exaltant d'autres fois, mais toujours grave, plein et parlant.

Aujourd'hui, une route nouvelle s'offre à moi. Je m'y avance sans peur, confiante.

Je reviens de voyage. Ce que j'ai à dire, je l'écris certains soirs de somnolence ou dans des matins de clairvoyance.[3]

Toujours, l'écriture me sera une source de réconfort et de guérison. Écrire mon journal ou rédiger une lettre ouvrira mon cœur à une meilleure compréhension de ce qui se trame en moi.

4 juin 1977

Cher Papa,
Mon père,

Mon papa gâteau dont les bougies ont été éteintes un instant dans le cœur bouleversé d'une enfant qui refusait de grandir et qui cherchait désespérément, dans son ardeur de vivre et d'aimer, la réponse qui lui donnerait la possibilité de comprendre et de guérir. Enfin!

Mon ami nouveau.

Mon ami d'aujourd'hui.

Qu'il est long le chemin vers la connaissance et surtout vers l'acceptation de soi! De ce qui a été, de ce qui est, de ce qui sera. Il est vertigineux de voir s'évanouir ses rêves; mais combien est plus intense la douleur, tout comme la joie, de s'entendre révéler la vérité. Voilà où m'ont menée les bonheurs de mon enfance, l'incertitude de mon adolescence, le malaise de mes premières années de femme.

---

3   Jeanne Janvier, Libre Expression, 1981. Réédité sous le titre *Souvenirs d'amour – Le journal de mes vingt ans*, Hurtubise, 2010.

Curieusement, à la suite de cette révélation, je me rapprocherai encore davantage de mon père, délaissant ma mère que je juge bigote, pas assez émancipée en ces années 1970 où s'amorce la révolution sexuelle.

C'est dans une loge de théâtre que je m'abandonnerai totalement pour la première fois dans l'intimité amoureuse. À dix-sept ans. Une expérience heureuse, même si nous avions toujours à nous cacher pour faire l'amour à la sauvette. Un apprentissage sexuel qui laisse des traces dans notre manière de goûter au plaisir et à la volupté des corps.

J'ai donc été aimée dans mon enfance et mon adolescence, mais cet amour familial portait son lot de secrets et d'anomalies. J'ai cru longtemps que la relation amoureuse devait être sans faille et qu'il fallait à tout prix tout faire pour que le lien s'épanouisse, même au prix du mensonge et de l'abnégation de soi, de ses besoins. Ma mère a vécu par et pour son mari et ses enfants. C'est le modèle que j'ai eu. À mon tour, j'ai développé une manière d'aimer qui comportait beaucoup de « faire avec » et de renoncements à ce qui m'aurait été favorable. J'ai passé des années à prendre soin des autres au lieu de prendre soin de moi. Le parfait profil de la dépendante affective. J'ai beaucoup travaillé sur cet aspect de ma personnalité ; c'est pourquoi je n'ai pas de gêne à l'avouer. Force est de constater que plusieurs d'entre nous, hommes et femmes, déposons nos rêves, nos attentes, nos élans dans l'autre. Nous projetons souvent ce qui nous manque et que nous aimerions recevoir : de l'affection, de la reconnaissance, du soutien, de l'attention...

Ce fut ma quête. Longtemps. Et même si j'ai reçu l'amour et une certaine reconnaissance de mes parents, quelque chose en moi doutait de ma capacité à être heureuse et à me réaliser. J'investissais alors dans l'autre, qui garantissait ma valeur, mon existence.

Je suis devenue pourvoyeuse de soins et d'énergie. Tout faire pour l'autre, se mettre en veilleuse trop souvent... Rôle épuisant. Non seulement auprès des hommes, des amours qui ont traversé ma vie, mais également auprès de mes amis, de mes collègues de travail et de ma fratrie. Tenter de rescaper les autres et se perdre soi-même. Ce fut tout un apprentissage que d'apprendre à mettre mes limites et à ME CHOISIR !

Mon premier amoureux était orphelin, j'ai essayé d'être sa mère. Mon deuxième amour en aimait une autre ; je me suis alors convertie en Mata Hari, espionnant ses moindres gestes avec l'espoir de le conquérir et de le mettre dans mon lit. J'ai réussi. Mon troisième était un étranger en exil, je lui ai offert mon corps, mon pays, ma vie. Il y a eu un fou que j'ai tenté de calmer, un désespéré que je me suis acharnée à sauver. J'ai joué à la roulette russe avec ma vie. Je croyais qu'aimer voulait dire souffrir, attendre et s'accrocher. Pendant trop longtemps, au lieu de vivre l'amour, je m'y suis ensevelie.[4]

Été 2016

Marie-Lou, Christiane et moi prenons la route pour partager une journée de pèlerinage à Eastman et revivre un peu cet été de 1975.

---

4   *L'actrice*, Hurtubise, 2004.

Halte au cœur du village pour aller marcher sur le sentier qui porte mon nom, après que j'ai été cofondatrice des Correspondances d'Eastman, qui ont vu le jour en 2002, muse, en quelque sorte, de cet événement littéraire. Par un concours d'heureuses circonstances, j'ai amené ce projet de France, grâce à mon ami feu Robert Desbiens, alors directeur du Centre culturel canadien, qui m'avait présenté, à Paris, les responsables des Correspondances de Manosque. Au retour de ce séjour dans l'Hexagone, j'avais présenté l'idée de cette fête des lettres à mon directeur littéraire, Jacques Allard, qui résidait tout comme moi à Eastman. Il faisait le rêve d'animer notre village avec une activité culturelle, et cette proposition tombait pile dans ses visées. Avec toute une équipe dévouée, nous nous y sommes investis avec ardeur, sûrs de réaliser là un événement porteur d'avenir. Depuis, Les Correspondances d'Eastman continuent leur mission estivale, qui est de permettre la rencontre entre épistoliers, écrivains, artistes de la scène, photographes, etc.

Pour me remercier de cette initiative, la municipalité m'a honorée en donnant mon nom à un sentier. Être ainsi associée à un chemin des lettres me plaît et témoigne de deux aspects de ma vie qui me sont chers et qui sont intimement liés à mon écriture : la nature et les mots.

Toutes les trois, nous avons marché sur le sentier, humant joyeusement les parfums d'hier à aujourd'hui. Notre promenade nous a guidées, pour une seconde halte, jusqu'au bistro Les Trois Grâces, situé non loin de l'église. La chef propriétaire, Ève Rozon, et son charmant associé, Alex, nous avaient réservé une table sur la terrasse qui offre une vue tranquille sur la rivière Missisquoi. Doux clin d'œil à cet été de 1975 où nous incarnions au théâtre ces trois grâces en quête de voluptueuses rencontres. La volupté, ce

Marie-Lou, Christiane et Louise à l'entrée du sentier
baptisé en l'honneur de Louise, à Eastman

jour-là, c'est dans nos assiettes que nous l'avons retrouvée, grâce à la délicieuse cuisine d'Ève, aromatisée à la saveur de nos vingt ans.

Notre beauté désormais portait l'empreinte de notre soixantaine avancée. Nous étions peu maquillées. Nos chevelures n'étaient pas encore arrimées à notre âge d'argent, et nous portions avec simplicité des vêtements légers en cette journée du mois d'août qui glissait doucement vers la fin de l'été.

Après le repas, nous avons mis le cap vers le théâtre. En gravissant la côte qui y mène, j'eus l'audace de proposer que nous arrêtions la voiture devant le petit chalet, notre Oasis d'il y a quarante ans, puis que nous descendions de voiture et demandions aux propriétaires des lieux si nous pouvions le visiter et prendre quelques photos. Après tout, nous étions en pèlerinage !

Une dame est sortie sur le perron.

Christiane et Louise devant l'Oasis lors du pèlerinage de 1996

Marie-Lou et Christiane à la même occasion

Le lieu avait été joliment rafraîchi depuis notre premier pèlerinage, qui datait de 1996. Il arborait maintenant des couleurs pastel, et l'ajout d'une terrasse à l'ombre des pins créait comme un nid suspendu dans les ramages. Très inspirant! Je me dis que j'en aurais bien profité pour écrire, du temps où nous y logions.

À l'intérieur, nos trois chambrettes avaient disparu, tout comme les murmures et les soupirs de nos ébats amoureux. Nous nous regardions avec une nostalgie un peu chagrine, en pensant à tout ce que nous y avions vécu.

Quelques pages écrites cet été de 1975 en témoignent mieux que je ne pourrais le faire aujourd'hui.

Un musicien est parti; au creux de ses mains, mon cœur atrophié. Depuis son départ, je me noie dans un lit humide, les cheveux tressés d'algues noires. Lépreuse, dans la noirceur et la moiteur de ma chambre, je délire. J'essaie de reprendre des forces et m'éveille chaque jour, le désespoir au bout des cils. J'ai éparpillé tant de douceur. Mon sexe est éteint. Ne reste que ma main bleue qui devient l'écrin de ta présence fugitive.

Mon nouveau rêve est un piano.

Comment se fait-il que tu respires si fort en moi? Tu es l'homme inaccessible que je cherche sans cesse.

Égarée dans mon corps, j'ai mal partout: à mes doigts rongés, à ma gorge en feu, à mon cœur blessé, à mon ventre vide, à mon sexe asséché, à mon dos brisé. Je m'étais promis d'être une cavalière solitaire, mais le rêve que tu fis d'une Ophélie me ramena dans tes bras. Le souvenir que j'en garde est mon univers à présent. Il est trop tard. Pianiste vierge entre mes bras, tu as caressé mes reins sans trop savoir ni comment ni pourquoi. Au réveil, mon cœur de locomotive battait à tout rompre, et sous les saules du jardin, je serais morte à t'aimer. Peut-être n'est-ce encore qu'un rêve? Mais de quoi vivrais-je? J'ai si mal à ma peau, il ne me reste que mon esprit à pouvoir se donner des ailes.

J'ai déchiré les photos qui m'unissaient au passé, sué les dernières caresses du Chevalier célèbre qui m'a laissée, abandonnée... Pianiste, reviens-moi des îles, rapporte-moi musique et coquillages; je prendrai le temps d'enfiler notes et nacres pour me faire un collier. Retrouverais-je un jour ta peau, tes mains, ton odeur?

Ma chambre, mon cahier, ma pensée qui vogue vers toi sont mes calmants. Je dépose mon corps entre des draps de satin mauve et j'enfile des bas de laine blanche, des chevilles jusqu'aux genoux. Et je t'écris. Mes partenaires d'été, mes amies comédiennes, sont parties souper en d'autres paysages, me laissant seule avec moi-même. J'ai préparé leur panier, tartiné le pain. De loin, je les regarde s'en aller pique-niquer alors que je demeure prisonnière, dans un bocal de verre. Je suis perdue dans l'envahissement de mes rêves.

J'ai peur. Depuis quelques jours, j'ai la sensation troublante d'être enceinte. Certainement pas de toi, mon piano solitaire. Un enfant joue sur mon corps, et il ne faut pas. Demain matin, dans un bocal de cornichons, je déverserai le sirop jaune de mon corps. Négatif, négatif. Test, viens soulager ma défaillance... J'ai bien assez de mon cœur en attente, de ma tête vagabonde, mon ventre ne veut pas du Chevalier rayé de l'été! Petit, éloigne-toi de ce nid. Je n'ai pas trouvé le grand amour qui pourrait te bercer.

Je ne suis pas la seule à vivre cet éprouvant apprentissage de l'amour.

Il pleut dans la forêt. Le pas d'un bien-aimé s'efface sur le gravier mouillé. Des amants se quittent. Le profil de mon amie

Marilou[5] s'est évanouie. Une fée pleure à la fenêtre. Que puis-je faire pour la consoler, l'assurer que la source des amours, un jour, se remettra à couler? J'ai l'âme endolorie. Ma main sera brève. Tristesse d'amour, pourquoi t'acharner?

Des fleurs s'évaporent dans le chalet. Mon autre amie Cricri et moi lisons le tendre billet que Marilou nous a adressé. Elle, en haut de la côte, sous la pesanteur d'un toit de grange, joue sur le clavier du piano rouge. Des fugues, des sonates. Avec amour, j'ai fait son lit, laissant sur les oreillers blancs l'empreinte de ma présence: un foulard bleu brodé de fleurs d'or, une fougère tendre, une boîte de carton renfermant un collier. Quand elle est revenue, Cricri et moi l'avons serrée dans nos bras.[6]

Assises à une table champêtre, derrière la grange qui tient lieu de théâtre, nous avons écouté Marie-Lou nous lire à son tour quelques passages de son journal de cet été-là. Magnifique écriture qui relatait si bien les mouvements de son cœur, les élans de sa jeunesse. Doux partage de nos essences en fleurs d'hier. Doux temps des amours.

Pour chacune d'entre nous, j'avais préparé un petit cahier avec un montage-photo extrait du programme de la pièce *Madeleine de Verchères*, gardé précieusement dans mes archives. Je souhaitais que nous puissions, à notre rythme, refaire le chemin de nos vingt ans jusqu'à aujourd'hui, alors que nous sommes septuagénaires.

C'est dans ce cahier que j'écris aujourd'hui pour refaire le chemin qui m'a menée ici, à cette amoureuse épanouie, à cette artiste comblée.

---

5   Marie-Lou Dion.

6   *Jeanne Janvier, op. cit.*

Pourtant, il n'en fut pas toujours ainsi.

Mes vingt ans furent des années de défrichage pour ensemencer la terre de mon devenir.

Mes trente ans furent marqués par la mort de mon père et une autre peine. Une profonde peine d'amour, lancinante et difficile.

Mes quarante ans virent advenir une débâcle, une rupture amoureuse, un lâcher-prise, un détachement, un rapatriement de tous mes pouvoirs et une reconstruction affective qui m'a menée à la rencontre véritable de l'amour, de l'engagement, de la joie.

Car aimer est une joie et non un calvaire, *calvaire* !

Mes cinquante ans firent place à une remise en question professionnelle, et je choisis de vivre à la campagne, lieu qui donna naissance à l'écrivaine que je suis aujourd'hui.

Mes soixante ans signèrent le départ de ma sœur jumelle, ma belle Pauline, en allée pour que cesse enfin la souffrance. J'y ai puisé une renaissance, sous sa bienveillante présence dans l'au-delà.

Et me voici aujourd'hui à revenir sur chaque étape de ma vie, en compagnie de mes amies Christiane et Marie-Lou. Une sorte de bilan.

Les années 1970 furent celles de la Comédienne.
Les années 1980, celles de la Chanteuse.
Les années 1990, celles de l'Amoureuse.
Les années 2000, celles de l'Écrivaine.
Les années 2010 sont celles de la Lumière.

Les Trois Grâces

J'ai proposé que chacune, dans son petit cahier, revisite le chemin parcouru, d'hier à aujourd'hui.

Ce matin, je laisserai ma plume et mon cœur se souvenir de nous trois.

Cricri était certainement la plus secrète d'entre nous. La porte accordéon de sa chambrette restait fermée. Elle recevait avec discrétion ses visiteurs de la nuit, et le matin nous la rendait souriante, auréolée d'un brin de tristesse. Mince, dotée d'une silhouette juvénile, elle plaisait particulièrement aux musiciens. Tout comme Marie-Lou et moi, d'ailleurs. Je crois me souvenir que chacune, cet été-là, a fait vibrer son corps entre les mains d'un musicien : un batteur, deux guitaristes et deux pianistes. Plusieurs étaient libres, certains appelés en d'autres lits de femmes. Qu'importe ! Notre jeunesse nous donnait tous les droits d'aimer passionnément… et de nous languir d'amour, aussi.

Cricri maintenait la forme en nageant quotidiennement. Nymphe musclée, elle éprouvait un besoin viscéral de se retrouver dans les eaux douces du lac d'Argent. Cet engouement se poursuivra pendant des années, jusqu'à tout récemment où elle a ralenti la cadence aquatique au profit de la marche quasi quotidienne. Mais cette baignade marathon était également une sorte de préparation à jouer au théâtre le soir, sans doute pour contrer le trac et une certaine inquiétude toujours latente qu'elle masquait sous un rire franc et tellement savoureux.

Cricri rit de bon cœur, et c'est une joie de l'entendre s'abandonner ainsi. Car elle a le sens de l'autodérision. Une qualité rare.

Dotée de poésie et de charisme, Marie-Lou profitait de sa jeunesse en grande prêtresse de l'amour et en buvait l'élixir dans la douce ivresse des jours. Elle possédait, en ces années, la liberté d'offrir sa vie et son lit avec grâce et passion. Elle y rencontrera un amour important et quelques visites fugaces qu'elle goûtait sans réserve.

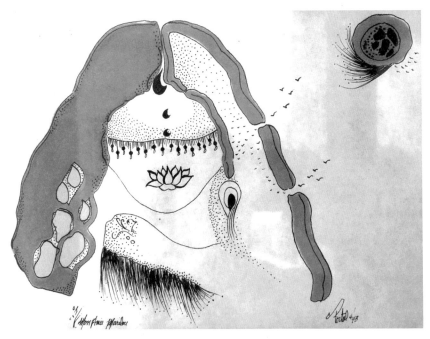

Marie-Lou, telle que vue par Louise à l'époque

Quant à moi, j'étais cette princesse en attente du grand amour. Je m'abandonnais quelques jours dans les bras de princes de passage, mais une grande partie de mon été passa à espérer le retour du Chevalier célèbre, puis à languir après mon Chopin qui préférait les garçons... Espérance inutile et souffrante. Ce n'était pas la première fois que je tendais mes filets d'amoureuse à des hommes inaccessibles. Déjà, à dix-huit ans, j'avais quitté ma région natale, le Saguenay, pour venir étudier à Montréal, et dès les premières semaines, j'y avais fait la rencontre de celui que je nomme Mon amour fou.

Mon amour fou… Je suis la mariée de cire, ombre passagère dont les corbeaux ont voilé l'œil vilain. Je suis la femme de tremble, frisson et soupir, girouette dans la nuit d'hiver. Je suis la mendiante de sable que le matin a gelée sous sa dernière étoile. Je suis la Dame inconnue, métamorphose des saisons qui se consument en moi.

Je suis la tour et la tombe qui glissent sur le macadam des miroirs brisés. Je suis pécheresse de mes solitudes, attachée aux barrières oubliées des jardins fanés. Je suis l'enfant malade, égarée du soleil blanc. Brûlée de ta mémoire. Je suis une naufragée parce que je ne suis que femme et que par malheur je t'aime.[7]

Ce mirage amoureux m'émeut encore maintenant. J'étais si entière et sincère dans cette offrande de mon cœur et de mon être tout entier! Chaque fois que je croise cet homme que j'ai désiré, espéré il y a cinquante ans, je me souviens de tout et je porte sur lui un regard de tendresse. Car l'aimer a fait vibrer l'amoureuse que j'étais alors et a contribué à développer chez moi la capacité d'aimer sans peur et sans regret.

Je le redis: je suis grande aujourd'hui et je n'ai plus peur de la vie!

Je renouvellerai ce type d'élan amoureux quelques fois dans mon existence. J'en connais à présent la genèse, longtemps restée

---

7   *Ibid.*

une énigme pour moi : j'étais dans une quête, celle du père. De l'homme qui m'aimerait un jour et qu'inconsciemment j'identifiais à mon père.

Je viens de relire *Les mots de mon père*, ouvrage paru en 2010 aux Éditions Hurtubise. Je veux partager avec vous la dernière lettre de mon père.

Chicoutimi, 2 mars 1980

> *À ma Louise bien-aimée,*
> *Par tes yeux splendides*
> *Tes incarnations*
> *Du mauvais sort*
> *Des êtres meurtris du destin…*
> *Par tes dons merveilleux,*
> *Par la grâce qui surgit de toi*
> *Et qui rayonne sur ton visage…*
> *Par cette aura qui t'auréole*
> *Et qui remplit la maison de lumière…*
> *Par le feu qui embrase ton être*
> *Et qui réchauffe tout autour de toi*
> *Par la musique de ta voix,*
> *Et la beauté du geste de ta main*
> *La grâce de tes doigts…*
> *Par ton geste enveloppant de tendresse…*
> *Par l'embrasement de tes yeux*
> *Qui brûlent d'amour*
> *Comme la lave se répand*
> *Tout autour sur les êtres qui*
> *Ont besoin de chaleur*
> *Au creux de leur cœur, comme au creux*

De leurs mains tendues
Par tous ces charismes de ta riche nature…
Tu es ma plénitude et mon exhaussement
Dans mon âge fébrile et sous mes cheveux blancs
Et quand sonnera l'heure du départ invisible
En mon dernier cheminement,
Je t'offrirai à Dieu
Pour mon parachèvement.

Je t'embrasse

Marcel

Fascinant et émouvant de constater la richesse de cette correspondance entre un père et sa fille. Un héritage incomparable qui me permet de restituer la présence vibrante de mon cher papa. Quels riches enseignements que ces lettres ! Et je vois combien aujourd'hui cela manque à nos moyens de communication. Nourrir le cœur de confidences et de mots par l'écriture d'une lettre ne pourra jamais être remplacé par un courriel ou un texto. Et que dire de l'écriture du journal intime ? Sans cette écriture quasi quotidienne, nous n'aurions pu, Cricri, Marie-Lou et moi, vous rendre ces pans de notre vie. Et avouez que c'est tout un voyage que cela nous invite et vous invite à faire ! Celui de revisiter sa vie par association avec la nôtre, à certains égards. Retrouver les émotions de la jeunesse et avancer sur le chemin de la reconnaissance de ce que nous avons été. Embrasser ce paysage qui s'offre à nous, alors que nous avançons vers la vieillesse.

Le Chevalier célèbre était enseveli dans mes cahiers, et mon Chopin était retourné aux Îles-de-la-Madeleine. Cet été mémorable de 1975 tirait à sa fin, comme en témoigne cette lettre adressée à Marilou. Avec Cricri, elles retournaient à la ville reprendre leurs activités professionnelles, tandis que j'avais choisi de rester quelques jours encore à l'Oasis. J'avais grand besoin de solitude pour me rapatrier des mouvances de ces amours estivales. Mon cœur était épuisé.

L'Oasis, lundi 8 septembre 1975
Eastman

Marie, mon amie bien-aimée, ma sœur,

C'est un lundi inhabituel. Le vent de septembre souffle jusque dans la maison, balayant tout : les chambres, les tiroirs. Les caisses de carton se referment sur les livres, les plantes. L'Oasis déménage vers la ville.

Je me sens un peu comme la dernière survivante sur cette île de bonheur. Samedi prochain, mes yeux auront la même tristesse que les tiens ce matin, quand tu passas la porte, vêtue de ton imperméable noir. Le baiser soufflé de ta main blanche s'envola dans notre petit chalet pour me dire au revoir.

Je te rapporterai ta chaise bleue, celle des après-midi de longues conversations sous le soleil chaud de juillet, et la planche à repasser qui fut, le temps d'un été, la balustrade lumineuse de nos plantes, en particulier les tiennes, guéries de la solitude en venant vivre ici. Je rapporterai aussi les couvertures et les draps qui bercèrent nos amis de passage, en notre bateau voguant sous les arbres.

Le tout ramassé, j'ai fermé la porte accordéon de ta chambre bleue.

Je t'envoie mon amour et ma pensée dans ce panier de pommes : s'y niche notre premier matin transparent où je t'ai reconnue... MARIE, le petit saucier de porcelaine pour garnir ta table de ville et le vase de pierre pour tes nouveaux matins, ton thé des Carmélites, un verre ballon de souvenirs et de promesses, ainsi que la violette de notre amie commune, Cricri.

Je t'aime
Louise

Les années 1970

Les années 1970 sont celles de la Comédienne.

En 1969, je fais finalement mon entrée au Conservatoire d'art dramatique de Montréal, après avoir subi un double échec, l'année précédente, lors de mes auditions. Ma candidature n'avait pas été retenue, ni au Conservatoire ni à l'École nationale, alors que mes camarades du Saguenay, avec qui je jouais depuis les trois dernières années au théâtre amateur, avaient tous été acceptés : Marie Tifo, Jean-Pierre Bergeron, Ghislain Tremblay, Han Masson, Rémy Girard et quelques autres.

Une épreuve.

Quoi ? On voulait me signifier que je n'avais pas ce qu'il fallait pour devenir une comédienne ? Ce refus n'avait fait que me conforter davantage dans mon rêve.

Je serais une actrice. Envers et contre tout !

Faire sa valise, s'en aller. Remplir sa grosse malle de pensionnaire, non pas pour se rendre au couvent comme à douze ans, mais pour déménager dans la grande ville parce qu'on vient d'avoir dix-huit ans et que, de partout, on sent l'appel du changement. Plier soigneusement ses chandails et ses jupes d'adolescente, arriver à Montréal le cœur battant, les yeux grands ouverts, la tête en avant.[8]

Première année au cégep du Vieux Montréal où je passe mes après-midi, à la cafétéria, à me languir d'un amour fou et à espérer ma prochaine audition pour le Conservatoire. Car oui, je me présenterai à nouveau.

Cette année-là, j'écris des pages fiévreuses sur cet amour inaccessible et je répète *Le chant du fantoche lusitanien*, de Peter Weiss, pour la troupe du cégep. À l'été, nous présentons le spectacle au festival de théâtre amateur de Lac-Mégantic, où je remporte un prix d'interprétation !

Douce vengeance.

Le prix consiste en un stage de trois semaines en France, dans trois écoles de théâtre : à Paris, à Nancy et à Strasbourg. Le groupe de lauréats effectuera le stage à Noël. Ayant entre-temps été acceptée au Conservatoire, j'obtiendrai une permission spéciale pour prolonger mon congé des Fêtes et faire ce voyage.

Douce récompense.

J'aurai appris une leçon importante : l'adversité peut être un moteur puissant pour nous inciter à poursuivre nos rêves et nos élans. Nos ambitions. Cet enseignement me sera fort précieux, voire essentiel, dans ma carrière qui s'amorcera bientôt.

Ma bonne étoile s'allume, et j'obtiendrai une autre permission spéciale de la direction du Conservatoire pour tourner, durant la deuxième année de mes études, un télé-théâtre à Radio-Canada,

---

8   *Ibid.*

Paradis perdu, une pièce de Marcel Dubé, aux côtés de Monique Mercure et de Denis Drouin, qui jouent mes parents.

Et je ne terminerai pas ma troisième année au Conservatoire. Louis-Georges Carrier m'offrira le rôle de Dominique dans la pièce *Les Beaux Dimanches*, de Marcel Dubé, cette fois pour une grande tournée avec le Théâtre populaire du Québec. J'irai même la jouer dans ma ville natale, à Chicoutimi, à l'auditorium Dufour, où j'étais guichetière durant mes années de jeunesse. Mes parents recevront toute la troupe à souper après la représentation. Comme je serai fière et comblée !

Ma carrière est lancée !

À peine vingt-deux ans, et voilà que je décroche mes premiers rôles : Nicole dans le téléroman *La Petite Semaine*, à la télévision de Radio-Canada, et Gigi au cinéma, dans le film *Taureau*, de Clément Perron, à l'ONF. Ce dernier personnage est celui d'une jeune prostituée, danseuse-*stripteaseuse* dans un club de la Beauce et sœur de Taureau, incarné par feu mon cher André Melançon.

Toute notre vie, quand nous nous croiserons, il m'appellera « sa tite sœur ».

Je te salue, André !

Ces années 1970 sont celles de la comédienne en plein essor, en effervescence. Je serai très demandée au cinéma, à la télévision, au théâtre et dans des revues musicales.

Mais une quête plus personnelle commence à poindre.

Je ne veux pas être uniquement un personnage de télévision. Je veux être moi, dans toutes les dimensions de mon être. La notoriété me laisse entrevoir le risque d'être piégée, enfermée et cataloguée dans un rôle, celui de la jeune première. Je dois acquérir du discernement et me protéger d'un métier qui peut voler notre vie privée et notre âme. Je rencontre sur ce chemin quelques personnes qui veulent profiter de ma naïveté. Elles sauront rapidement qu'avec moi, ça ne marche pas ! J'ai la chance d'avoir un caractère qui impose le respect, et mon instinct me guide chaque fois que je me retrouve, professionnellement, dans une situation délicate. Je peux m'y fier.

Ma vie, ma carrière, c'est moi qui les gère, et j'ai bien l'intention de ne pas bafouer mes valeurs et mon intégrité. En ces années, les agences d'artistes et de casting n'existent pas. Nous ne sommes pas encore dans une industrie. C'est le réalisateur et lui seul qui a droit de veto sur sa production télévisuelle ou cinématographique.

Oui, aujourd'hui, notre profession a bien changé...

Donc, professionnellement, je sais prendre soin de moi.
Amoureusement, c'est plus complexe.

J'aime quand on ne me remarque pas. Et je tourne le dos aux prétendants. Allez comprendre la dynamique affective des amoureux dans la vingtaine !

Après l'été de *Madeleine de Verchères* et une autre production musicale, *Marche Laura Secord*, au Théâtre du Nouveau Monde cette fois, je lâche tout, la série télé, la maison de campagne à Saint-Marc-sur-Richelieu. Je pars, avec un sac à dos et un nouvel amoureux, en voyage pour six mois. De la Louisiane au Mexique, puis au Guatemala... pour aboutir en Italie !

Un voyage initiatique. Une folle aventure. Durant cet itinéraire singulier, je quitterai mon compagnon pour me retrouver, à Rome, dans une liaison à trois complexe qui viendra à la fois chambouler et éclairer ma compréhension de l'amour.

Quand les mots ne peuvent s'écrire… Louise dessine pour exprimer sa quête.

Assise en face de mon père, j'étais sincèrement heureuse de le retrouver. Les mains déposées sur le mica turquoise de la table, je jouais avec le bracelet de cuir tressé que je portais. Devant des œufs au plat que je n'arrivais pas à manger, je me suis mise à lui raconter l'étrange voyage que je venais de faire. Je lui ai fait part de mes interrogations. Pourquoi avais-je quitté mon amoureux si doux pour partir dans cette aventure au bras de deux inconnus. L'un était mon amant et l'autre se voulait notre frère. Et me rendre compte en cours de route qu'ils étaient en réalité des amants? Qu'étais-je partie chercher avec ces deux homosexuels? Car mon sentiment était qu'ils n'étaient pas réellement bisexuels.

Sans dire un mot, mon père m'écouta relater cette étonnante traversée.

Je lui posai enfin la question qui me brûlait les lèvres depuis des années. Y avait-il un événement survenu dans mon enfance qui pouvait expliquer mon incapacité à aimer? Je voyais bien que toutes mes relations amoureuses jusqu'à présent, mes attirances et mes passions avaient été teintées d'impossible. Je me retrouvais constamment en état de perte et d'abandon.

Mon père gardait le silence. Je perçus cependant que son regard se voilait de gravité. Je frissonnai, pressentant qu'il allait m'apprendre quelque chose… et j'eus peur. Peur de ma question. Peur de la parole que je sentais poindre sur ses lèvres pourtant muettes…

Il finit par murmurer avec douceur et précaution que oui, peut-être quelque chose dans mon enfance avait pu marquer ma vie. Il me confia alors le grand secret qu'il avait gardé trop longtemps et qui avait finalement épuisé son cœur malade.

Papa m'avoua son homosexualité.[9]

---

9   *L'actrice*, Hurtubise, 2004.

La double vie de mon père, cachée, secrète, éprouvante, aura marqué ma quête de désir et de passion. Je serai souvent attirée par ces hommes dont l'amour m'était inaccessible, mais pour qui je ressentais le même lien affectif qu'avec mon père. Peut-être aussi ne voulais-je pas que Marcel perde cette place unique que je lui réservais dans ma vie ? Un complexe d'Œdipe longtemps questionné.

Heureusement, j'ai pu accueillir mon père dans sa différence, à une époque où ça n'était pas si facile. J'ai pu comprendre son tourment et être témoin aussi de l'amour entre mon père et ma mère. Merci Marcel. Merci Papa.

À la suite de cette révélation, au retour de ce long périple, une guérison du cœur s'imposera. Mais elle ne se fera pas tout de suite.

Il me faudra rencontrer encore bien des ronces et des renoncements. Le tournage de *Cordélia*, au seuil de la trentaine, sera un tournant. Ce rôle me confrontera à l'amour et à mon métier. Je vivrai une peine d'amour, la seule de ma vie qui m'apprendra l'essentiel : je suis une actrice vibrante et une amoureuse tout aussi passionnée. Je dois envisager une meilleure acceptation de qui je suis, dans les attentes et dans les larmes comme dans l'espérance et l'abandon.

La neige est arrivée... Moi, que m'est-il arrivé ? Je suis attablée dans mon dimanche, des plantes assoiffées devant la fenêtre de la cour. La neige tombe... tombe... je n'entends de la ville que le roucoulement des pigeons verts. Ce soir, ma raison sera ensevelie sous la neige, étouffée. Je suis quelque part prisonnière de ma réflexion : femme mauve en pantalon de guérison, je m'interroge... il me faut être battue pour que s'échappe mon cri... l'homme que je n'ai pas été veut posséder la femme que j'ai toujours refusé d'être. Écartelée entre le désir de vivre et la folie d'aimer... En quête d'appartenance... Mon homme m'a laissée seule dans ce désarroi...

Le cri étouffé à l'intérieur de moi, c'est entre mes cuisses qu'il s'est laissé coincer. Dans le nid humide de mon sexe, dans l'accouchement raté de ma maternité. Il a fallu qu'un homme traverse et perce cet écrin de peur pour me faire connaître le bonheur. Car il est là, mon bonheur, caché dans les poils tressés de ma toison d'amour, jaillissement de mon bonheur à la porte sanglante de mon sexe enfin offert.

Mon amour, tu es venu délier ce qu'il me fallait voir. Dans le corps de mes dix-sept ans, j'avais verrouillé ma porte d'extase. J'avais besoin de ton corps pour faire sauter les cadenas... Entends-tu mon appel? Je ne peux plus attendre. L'éjaculation de ma vie doit se poursuivre... sinon je vais éclater... je ne peux plus me retenir. J'ai attendu trop longtemps, trop souvent. Mon homme, pansement de ma vie, j'agonise dans l'espoir.

Je suis peuplée de demeures, de maisons aux différentes couleurs, aux multiples architectures: hutte de repos, labyrinthe mauve, cercle de béton, escalier en colimaçon... autant d'images qu'il y a d'émotions, de sensations qui m'habitent. Mes villages intérieurs sont à découvrir...

Celui d'aujourd'hui est traversé d'une eau nerveuse, bleu acier. Celui que j'ai aimé en automne, qui m'a fait pénétrer l'hiver, je l'attends. Où se pose son pied de neige? Il n'arrive pas, et cette attente insoutenable traverse mon village patient, joyeux des jours d'avant, qui tremble à cette heure.[10]

---

10   *Jeanne Janvier, op. cit.*

Ainsi équipée, je débarque dans les années 1980, chaussée de bottes, des éperons aux talons, pour scander, hurler ma peine, chanter que *L'amour m'exaspère* !

J'ai des gants en caoutchouc jaune à matin
Je lave de la vaisselle
Des belles théières en porcelaine
Mais au fond de moi
Ça hurle, ça gronde
Ça veut sortir
L'amour m'exaspère !

Chus tannée, chus fatiguée, ch't'écœurée
Qu'est-ce que j'vas faire
L'amour c'est ma vie
J'peux rien y faire

Alors j'me bats
J'me bats pour parler, j'me bats pour aimer
J'me bats pour rire, j'me bats pour pleurer
J'me bats pour vivre, j'me bats pour mourir
J'me bats pour tout, j'ai peur de tout

Je suis une femme battue !
L'amour m'exaspère !

Mes armes d'amour, j'en ai rien à faire
Chus pu capable de vous écouter
Chus pu capable de vous comprendre
J'en ai trop entendu
Chus pu capable

Chus tannée, chus fatiguée, ch't'écœurrée
Qu'est-ce que je vas faire

Chus pu capable d'aimer
L'amour me désespère
L'amour m'exaspère
L'amour... me pèse![11]

À la suite de notre été de 1975, je partagerai un grand appartement avec Marie-Lou, rue Clark. Sous l'égide de sa présence bienveillante, nous écrirons ensemble la pièce *Où en est le miroir?* que nous jouerons au Théâtre de la Manufacture. Le texte sera publié aux Éditions du remue-ménage (1979). Cette heureuse cohabitation et collaboration d'écriture sera bénéfique et m'extirpera des sables mouvants de cette tourmente amoureuse. Marie-Lou fut ma guide. Elle est une amie, non pas pour une raison ou pour une saison, mais pour la vie.

Le metteur en scène *d'Où en est le miroir?* était notre ami fidèle depuis le Conservatoire, Robert Lalonde, que j'appelais alors affectueusement Wober. Il était de la distribution de *Madeleine de Verchères* et accompagnait également notre trio dans *Marche Laura Secord*.

C'est Robert, à qui j'avais fait lire les cahiers de ma vingtaine, qui m'a accompagnée dans la réalisation de mon rêve de publier. Il a pris le temps de lire, de commenter, de corriger mes pages, de les mettre en forme, et il fera les démarches pour déposer mon manuscrit chez quelques éditeurs. Il rédigera aussi la préface de mon premier livre, *Jeanne Janvier*.

---

11   Une chanson de mon premier album, *Portal*, Pro-Culture, 1981.

Jean-Pierre Chartrand, Marie-Lou et Louise
dans *Marche Laura Secord*, au TNM en 1976
© André Le Coz

Les années 1980

Les années 1980 sont celles de la Chanteuse... Second volet de ma carrière artistique. Les comédies musicales et les revues de la décennie précédente étaient venues en déposer la semence. Et je chantais déjà à l'adolescence, avec mes sœurs Pauline et Priscilla, dans des spectacles à l'école secondaire. Des chansons de folklore du groupe Les Cailloux, fort populaire, et quelques imitations de Johnny Hallyday pour moi, et des pièces d'Elvis Presley pour Pauline. Je me rappelle que nous taquinions notre mère en disant qu'elle était la gérante de notre groupe, baptisé Les Bleuets. Quelques décennies plus tard, en 2003, la chanson *Les Triplettes de Belleville*, dans un film d'animation de Sylvain Chomet, fera un malheur, et le compositeur de la musique, Benoît Charest, remportera plusieurs prix et distinctions. Ça aurait pu être nous, Les Triplettes du Saguenay!

Mes premières chansons seront écrites en collaboration avec un ami musicien, Jean-Pierre Bonin, qui recevra le trop-plein de cette peine d'amour récente qu'il me faut exorciser. Il y inscrira sa musique forte et sensible. Nous formerons un formidable duo, dans la création et sur scène. Nous présenterons un premier enchaînement de ces nouvelles chansons à Saint-Jean-Port-Joli. Piano et voix. Spectacle improvisé dans une maison désaffectée qu'on disait hantée. Concert intime qui réunit les amis du coin, dans ce village du Bas-du-Fleuve. Révélation! Quelque chose se passe en moi. Je viens de découvrir MA voix! Cette voix de l'intérieur qui ressent l'urgence de prendre la parole.

Un an plus tard, nous y retournerons pour faire l'ouverture officielle du café La Coureuse des grèves.

Je chante. Je n'ai pas encore enregistré de disque, mais je chante. C'est là qu'est l'essentiel de ma quête.

Le premier spectacle annoncé et médiatisé aura lieu à L'Imprévu de l'Hôtel Iroquois, dans le Vieux-Montréal. Un autre musicien, italien anglophone, devenu depuis quelques mois mon amoureux, me voyant sur scène, cette fois accompagnée par de talentueux musiciens, entreprendra des démarches afin de réaliser mon premier disque. Il est convaincu de mon potentiel et de la force de mon répertoire.

Le disque, une fois complété, restera sur les tablettes pendant plus d'un an. Sa facture est jugée « pas assez commerciale », et les chansons feront silence encore quelque temps. Qu'à cela ne tienne, moi, je poursuis mon chemin, cette fois au Vol de nuit, petit bar de la rue Prince-Arthur.

Après ma sortie de scène un dimanche soir, mon attachée de presse, Danielle Papineau-Couture, arrive dans ma loge, qui est en réalité le dépôt des balais et des articles d'entretien. Dans ses mains, elle tient le bijou en forme de cœur que je portais sur mon costume, un cœur mauve. Elle m'apprend qu'il est tombé pendant le spectacle et s'est fracturé en son centre.

« Ton papa est mort cet après-midi », me dit-elle alors, la voix chancelante.

J'écrirai la chanson *Back Stage*.

Back stage in the night
My room is like a guitar case
Broken mirror on the wall
My make-up falling in tears

No one will see me tonight
I run away by the stage door
I run away, I run away
Cause my soul has walked away

It's the last show of the week
Sunday night, strange night
It's my last show I'm in tears
No more dreams, no more dreams
Cause in back stage of my life
Somebody died tonight
Cause in backstage of my life
Tonight I cry, I cry
Cause in back stage of my life
Tonight I died

He was the man of my life
He was the man of my dreams
I still remember the times
When I was just a child

He always found a way
To tell me a new story
He was my prince
I was his princess
But now he's so far away

Lover hold my hand
I will try to hold my pain
Now that the dream is over
I must find a new land

Dans la foulée de ce deuxième *show*, nous trouverons preneur pour l'album. Intitulé *Portal*, il sortira non seulement au Québec, mais aussi en France. Immédiatement remarquée par la critique et appréciée du public, cette première incursion dans le milieu musical hors Québec me propulse dans les débuts d'une carrière en Europe. Je suis alors invitée à chanter à L'Olympia de Paris et à représenter le Québec au Festival de la chanson française de Spa, en Belgique, où je remporte le Prix de la Presse. Dans les mois qui suivront, je retourne en France pour assurer la première partie du spectacle de Maxime Le Forestier à Bobino et je tourne mon premier film en France, *Les fauves,* aux côtés de Philippe Léotard et de Daniel Auteuil.

J'ai trente-deux ans, et une carrière internationale ouvre ses portes à l'actrice et à la chanteuse.

Je m'exile à Paris pour un temps. J'y vis une rencontre amoureuse qui vient tout chambarder. Je finis par rompre avec l'Italien qui partage ma vie depuis trois ans. Je quitte la campagne où nous venions de nous installer pour retourner à Paris.

Nos animaux, chiens, chats, chèvres et chevaux, s'affolent. La maîtresse du logis a fait ses valises et est partie !

Quelques mois plus tard, je rentre au bercail, incapable d'assumer cet exil artistique et amoureux. La passion est un envoûtement dangereux.

J'avais déjà vécu cet envoûtement avec un réalisateur.

Je viens de récidiver avec une personnalité du *show-business* français.

Encore une fois, je quitte tout.

Je reviens chez nous, à la campagne, et je reprends, avec mon Italien, la vie et la musique. Comme avant.

D'autres albums verront le jour. Avec ce musicien talentueux, nous créerons des univers grâce auxquels je me lancerai à fond dans une carrière de chanteuse. Difficile. Exigeante. Ces années 1980 sont dominées par des artistes tels que Michael Jackson et Tina Turner.

Être auteure-interprète dans le *show-business* québécois durant ces années-là relève de l'exploit. Il y a bien notre magnifique Marjo qui casse la baraque. Unique et intense, elle se taille une place. Dans ces années n'existent pas de tremplins comme *La Voix* ou *Star Académie*. Pour moi, les spectacles et les tournées se succèdent sans me permettre de gagner ma vie. Quatre albums en dix ans sans jamais avoir touché un sou! Il fallait vouloir chanter...

Mais écrire des chansons et les interpréter m'auront permis de faire émerger ma propre voix, m'auront mise au monde moi-même, en quelque sorte. Et le dernier spectacle, *Le strip-tease dans l'âme,* que je présente au Théâtre La Licorne en 1990, est mon chant du cygne.

Je chante ma métamorphose.

Après ce spectacle, je change de vie. Je me rapatrie. Je quitte, et cette fois pour de bon, le chum, les chiens, les chats, les poules, les lapins et les chevaux. Je quitte la campagne.

Je reviens à la ville. Seule. Treize ans de vie de couple prennent fin.

Une autre décennie peut m'ouvrir les bras. Ce seront les années de l'Homme de cœur, de celui que j'espérais depuis si longtemps.

Un homme aimant, chaleureux et fort.
Il n'a pas peur de la colère, ni de l'intimité, ni de l'amour.
Il peut voir, au-delà de la séduction, l'essentiel de la femme.
Il la soutient avec patience.
Il la provoque, l'affronte et va toujours de l'avant.
Il est stable et solide.
Se laisse porter par le flot vital et le plaisir de l'instant.
Il joue, il travaille.

Il se sent bien avec lui-même comme dans le monde.
C'est un homme de la terre, instinctif et séduisant.
C'est un homme de l'esprit aux idées élevées, un créateur.
Il aime la nature, les oiseaux, les fleurs, les forêts,
les montagnes, les fleuves et la mer.
Il aime les enfants et l'enfant intérieur.
Il apprécie les saisons.
Il se réjouit de l'éclatement du printemps, se repose et flâne
en été,
mûrit dans les derniers reflets de l'automne et s'enfonce
dans le silence ouaté de l'hiver pour renaître au printemps.
Il aime la beauté, l'art, les mots, la musique.
Il danse au rythme de la vie.
Il est l'ami de l'âme, l'ami intérieur.
L'amant qui accompagne une femme
Dans ce voyage, cette aventure qu'est la vie.

Auteur anonyme

Merci à la personne qui a écrit ce texte que j'ai glané, un jour, dans mes lectures. Ce texte m'a sauvée ! Il m'a confirmé que cet être d'exception existait quelque part, et j'ai eu confiance que le destin m'amènerait à le rencontrer.

Les années 1990

Les années 1990 sont celles de ma quarantaine et seront celles de l'Amoureuse.

J'ai connu auparavant la passion dévorante.

J'ai vécu la stabilité d'une relation de couple, mais qui s'est enlisée dans la dépendance affective.

Je me connais désormais suffisamment pour choisir plus adéquatement ce qui tissera mes jours, mes amours.

J'aspire à davantage, mais je ne cherche plus. J'ai d'abord rapatrié tous mes pouvoirs, créatifs, financiers, sexuels, spirituels et matériels. Je suis prête à cultiver l'espérance de rencontrer l'Homme de cœur. Ce sera lui ou personne d'autre. Je préfère qu'il en soit ainsi.

Je traverse un désert affectif et professionnel. Les deux vont de pair. Je m'installe chez un ami, en transit. Une petite chambre dans le carré Saint-Louis, un cocon où me poser. Me reposer, hiberner. Je médite sur ma vie. En silence. Je prie.

Décembre... janvier... février... Mars arrive avec une rencontre qui changera le cours de ma vie.

Le 12 mars 1993, je chausse des patins pour passer un après-midi entre amis à la patinoire du Vieux-Port. J'y rencontre un... prince... celui que le destin m'a choisi pour être mon homme de cœur et qui deviendra mon mari le 13 mai 1995.

À cette occasion, Marie-Lou sera, avec mon amie Danielle, l'une de mes demoiselles d'honneur, et mes sœurs, Pauline, Priscilla et Geneviève, écriront ce texte qui retrace, avec humour, mon parcours d'amoureuse.

Il était une fois une princesse
En quête d'un château et d'un prince...
Elle avait parcouru le monde, traversé les océans
Touché la cime des montagnes,
En train, en avion, à cheval, à pied
Et su'l pouce
Elle avait fait le tour de son jardin, de son moi

Intérieur, profond, très profond…
Cosmique et étoilé. Le grand voyage de Jeanne Janvier, quoi!
De thérapies de groupe en retraites dans d'austères monastères,
En passant par le Mexique, le théâtre, le cinéma,
la musique et le lac Clair
Elle s'est retrouvée à son point de départ.
Il était une fois une princesse
En quête d'un château et d'un prince…
Un bon matin, elle chaussa des patins
Bin bin bin bin bin bin… Patine, patine…
Quand soudain on lui prend la main! Un prince???
Une crinière de soie noire sur des épaules de chevalier
Des yeux qui pénètrent l'âme. Une voix qui la berce, un sou-
rire qui la transporte. Des mains qui la prennent et la font s'envoler.
Un torse, une taille, des hanches, des…
Un prince!!!
La princesse et le prince étaient tous deux libres ce soir-là.
Quin quin quin…
Ils ont fini ensemble ce beau vendredi, dans le lit de la légende
Qui se perd dans la nuit des temps…
Dans l'intimité de leurs soupirs, il lui chuchotait son itiné-
raire de vie.
À lui.
Il était une fois un prince
Qui avait enfin trouvé sa princesse
Ils s'achetèrent un château rue Casgrain
Une noce blanche, un bel habit, des alliances
Et nous voilà! Aujourd'hui…

À l'été de mes vingt-cinq ans, en 1975, je n'aurais jamais pu prévoir que vingt ans plus tard, je me marierais, à quarante-cinq ans!

Je n'avais jamais eu de rêve d'épousailles ni de maternité. L'engagement de cet ordre me faisait peur. J'étais convaincue que cette vie n'était pas faite pour moi. Mon avenir était celui d'une actrice et d'une amoureuse libre. Et voilà que cet amour me sortait de mes retranchements.

Il était mon homme de cœur.

J'étais sa beauté.

Il me l'avait écrit dès le troisième jour sous forme d'un long poème de vingt-cinq pages intitulé *La patineuse*, dont voici un court extrait.

Elle s'appelait Jeanne ou Dame. Elle arrivait peut-être d'Amsterdam.

Nous étions vendredi après-midi.

Elle était venue patiner avec un groupe d'amis adorables sur la glace du Vieux-Port.

Son manteau n'avait pas de boutons.

Il l'avait remarqué parce que son regard ne l'avait pas quittée.

Ils avaient tous congé et ils étaient heureux.

Le soleil était là avec le froid du Canada.

Elle lui demanda de lui faire faire un tour de patinoire.

Tout de suite à son contact elle sut qu'elle patinerait comme jamais elle ne l'avait fait.

C'est après avoir fait quelques tours qu'il la prit un instant par la taille et se douta que quelque chose en lui avait changé...

Ils se sont d'abord aimés avant de faire l'amour

Comme ils se sont touché l'âme avant de se caresser.

Ils n'ont pas cherché à comprendre

Ils se sont tout simplement reconnus à travers l'autre.

Elle l'aime. Il est intime, doux, il a de ces mains qui touchent le plus précieux de la vie.

Il l'aime. Elle est profonde, femme, tendrement une source essentielle.
Il est son homme de cœur.
Elle est sa beauté.

Jacques Hébert

L'année suivant notre rencontre, je suis devenue enceinte. Pour la seconde fois, un enfant voulait voir le jour. Naître cette fois d'un véritable amour. Cette nouvelle nous a remplis, Jacques et moi, d'une joie extraordinaire. J'ai commencé à préparer le nid en moi et autour de moi. Dans mes cahiers, je parle avec ma mère – en allée depuis déjà dix ans – de cette vie en gestation qui étonnamment me rapproche d'elle. Je la retrouve pour lui confier les grands mouvements qui traversent mon corps et mon cœur.

Ce fut de courte durée.

Le 14 février, à peine deux mois après l'annonce de cette merveille, j'ai fait une fausse couche. La seconde. À vingt-deux ans, j'avais également traversé un arrêt de grossesse. Cet enfant de Jacques, je l'espérais de tout mon être. Ce fut un gros chagrin. Une déception.

Nous avons procédé à un rituel d'adieu. Un poème a été écrit par Jacques pour raconter le bonheur que nous avions ressenti à l'annonce de cet enfant en gestation et le remercier d'être venu signer encore davantage notre engagement amoureux.

Alors que la quarantaine me propulse dans la fougue de l'amour, la vie de l'actrice est au ralenti. Les propositions de rôle se font plus rares. Je traverse ce que beaucoup d'actrices de cet âge ont à affronter. Une remise en question. Profonde. J'ai été tellement gâtée les vingt dernières années qu'il me faut m'ajuster et accepter que ce qui a été ne sera plus. Je n'ai plus les premiers rôles comme je les ai connus : Cordélia, Chantale dans *Graffiti* qui m'a valu deux prix Gémeaux, Diane dans *Le déclin de l'empire américain*, et tant d'autres…

Je ne suis plus sur les affiches de film ni sur les couvertures des magazines. La dernière sera celle de la revue *Châtelaine* en 1994, pour la Saint-Valentin. Au moment de la séance de photos réalisée par mon ami Pierre Dury, je suis enceinte. Mon visage irradie de joie.

Louise et Jacques, magazine *Châtelaine*, 1994
© Pierre Dury

Un autre chemin se dessine pour Jacques et moi. Un nouvel horizon se présente. Après avoir partagé trois lieux urbains, nous déménageons à la campagne. Je renoue avec la vie champêtre, mais cette fois sous des augures plus favorables. Nous nous installons dans un lieu unique et exceptionnel que nous baptiserons Le Sanctuaire. Une maison de style Santa Fe, un château qui nous ramène dans la région de naissance de Jacques, les Cantons-de-l'Est.

Pour moi, il s'agit d'un retour à la vallée de l'Homme de l'Est, territoire de mes années de jeune comédienne sur la scène du Théâtre La Marjolaine.

Vingt-cinq ans sont passés.

L'année 2000 ouvre un volet artistique que je souhaitais en secret depuis très longtemps : celui de l'Écrivaine.

Mon nom, Portal, nom de plume de mon père Marcel, prend ici tout son sens. Pour moi qui ai incarné tant de rôles aux prénoms innombrables, Nicole, Gigi, Diane, Madeleine, Manon, Dominique, Doris, Reine, Rose, Léa, Marie-Louise, Maria, Louise, Lisette, Odile, Carole, Pauline, etc., Portal vient inscrire et signer tous les livres à venir.

Avec la parution, en 2001, de mon roman *L'enchantée*, j'entame le chemin de la cinquantaine.

Je dirai souvent que mes livres auront été mes « enfants mauves ».

Les années 2000

Le 11 septembre 2001, je me présente à mon premier essayage de costumes pour la série *Tabou*. J'y incarne Manon, une mère en quête de sa fille fugueuse, qui ira jusqu'au Nicaragua pour tenter de la retrouver.

Ce matin-là, je retrouve le réalisateur et l'équipe des costumes, tous rivés au téléviseur qui diffuse en direct l'écrasement des tours du World Trade Center à New York.

Un choc! Stupeur! J'arrive de ma campagne et je n'ai eu vent de rien. Consternation! Larmes! Peur! Sur tous les réseaux de télé du monde entier, on entend cette phrase: «Le monde est en changement, rien ne sera plus jamais comme avant...»

Le terrorisme vient de signer le début d'une nouvelle ère, celle de la violence, de l'embrigadement des générations à venir. Depuis, chaque semaine sévissent de par le monde des actions au bout des fusils, des grenades qui sautent, des jeunes qui s'immolent au nom de Dieu. La folie!

Et pourtant, je voyagerai beaucoup tout au long de cette décennie. Car même si les rôles se font plus rares à la télévision, je prendrai part à plusieurs tournages cinématographiques à l'étranger : Liban, République dominicaine, Maroc, France... En plus, je répondrai à de nombreuses invitations à participer à des jurys dans des festivals de films, notamment à Namur en Belgique, à Salé au Maroc, au Brésil avec les films de Denys Arcand, et j'irai même chanter aux Francofolies de La Rochelle pour saluer le départ du fondateur de l'événement, mon ami Jean-Louis Foulquier.

Quand je reviens chez nous, au Québec, mon sanctuaire m'ouvre les bras, et j'écris, j'écris. Des œuvres romanesques, d'autres plus personnelles. Comme si un destin me guidait, la vie nous ramène en Gaspésie, ce territoire où j'allais en vacances avec ma famille dans les années 1950.

Voici que nous achetons une maison dans un petit village de La Haute-Gaspésie, lieu de renaissance pour Jacques, en 1977, alors qu'il s'engageait sur le chemin de la sobriété. Pour moi, lieu d'inspiration que cette maison où il a vécu et qui verra naître ma trilogie gaspésienne : *Cap-au-Renard*, *La promeneuse du cap*, *Les sœurs du cap*. Une écriture qui s'étalera sur dix ans.

J'arrive enfin à la réalisation d'un rêve que je croyais impossible : devenir romancière !

Joie de me laisser porter par les personnages qui naissent sous ma plume.

Actrice, j'incarne des personnages.

Écrivaine, je deviens la scénariste, la réalisatrice, la directrice artistique, la costumière de cette histoire que j'invente, et en plus, j'incarne TOUS les personnages !

Révélation !

Découverte ensorcelante : écrire donne un sens à ma vie. Témoigne de mon regard sur le monde. Pour offrir et faire connaître mes livres, je parcours la province, de causeries littéraires en conférences, et je découvre, lors de ces prestations, que tout ce que j'ai vécu et tout ce que je suis s'offrent au public.

Être sur scène soi-même, et non pas dans la peau d'un personnage.

Je raconte la naissance de mes livres, je chante *a capella*, je lis des extraits, je raconte des anecdotes. J'offre ce qu'il y a de meilleur en moi.

Quel privilège que de partager un peu de son itinéraire de vie, de création ! Inspirer la beauté. L'harmonie. Ces années où la noirceur tend son ombre, je les fleurirai en redonnant par mes mots, qui désormais témoigneront de l'essentiel de ma vocation artistique.

J'arrive à l'essence de ma mission de vie.

Louise en séance de signatures dans un salon du livre
© Luc Roberge

La mort de Pauline

J'ai peu parlé de ma sœur jumelle jusqu'ici. Tout un livre raconte notre lien, notre parcours, notre vie gémellaire : *Pauline et moi*[12]. Récit écrit quelques années après sa mort survenue le 30 août 2010.

Mourir à soixante ans...

J'ai tant à me rappeler, tant à raconter...

Le 12 mai 2010, nous avions célébré nos soixante ans. Pauline était seule. Moi, j'étais en escapade à Boston avec Jacques et un couple d'amis. Nous étions une fois de plus en froid, elle et moi. Cinq ans que cela durait. Éprouvant. Difficile. J'apprenais à accepter cette réalité : la savoir au loin, l'aimer de loin, car elle avait rompu le dialogue, creusé la distance entre nous. Elle souffrait, je le savais et je me sentais impuissante à faire quoi que ce soit. J'ai tant voulu, essayé. Puis, j'ai choisi d'abdiquer.

Ce départ est venu inscrire un grand changement dans ma vie. Venir au monde avec une autre est un lien particulier. La perdre est à la fois un abîme et une libération.

Dans le premier sac, une boule de langes. Je la déroule délicatement. Sont entremêlées deux petites couvertures de laine écrue, bordées de rubans jaunis : les restes de ce qui avait langé ma venue au monde et la sienne, le même jour, à quelques minutes d'intervalle. Toute ma vie, j'ai cru qu'il me fallait prendre soin de cette sœur délicate. L'aimer inconditionnellement pour être aimée d'elle en retour. Mon éjection de la matrice, avant elle, avait été vécue comme un abandon. Le premier. Impardonnable. Désormais, ma sœur chercherait l'osmose, le lien unique. Recréer celui

---

12   Druide, 2015.

qui était présent pendant notre vie fœtale et auquel je m'étais dérobée. J'étais la sœur évadée du nid utérin. À jamais absente. Un vide impossible à combler.

Toute notre enfance, nous serons habillées pareil, et on nous appellera « les jumelles ». En vieillissant, nous chercherons à nous affranchir l'une de l'autre et nous serons en même temps dépendantes l'une de l'autre. Je prendrai rapidement le rôle de sauveuse, et cela entraînera par la suite la perte de notre lien. Je serai la mère protectrice et chiante, alors que ma jumelle endossera le rôle de l'adolescente rebelle.

Je constate aujourd'hui que ce lien fut fondateur de ma personnalité et que, malgré les écueils et les ronces sur notre chemin, Pauline m'aura enseigné quelque chose de capital : on ne peut sauver personne. Chacun choisit son chemin de vie et de croissance.

Pour cela, je la remercie. De tout mon cœur.

À partir de cette absence, une lutte a cessé. J'ai acquis de la confiance. Désormais, une nouvelle lanterne éclairera ma route. Et Pauline n'y est pas étrangère. Je la sens proche, avec moi, comme si elle rattrapait le temps perdu. Maintenant qu'elle n'est plus dans la souffrance de vivre, elle peut m'offrir le meilleur d'elle-même. Les synchronicités depuis son départ se multiplient. Elle est mon ange gardien.

Ma belle Pauline… je t'aime.

À la suite de cette perte, je me retrouve en mouvance.

Les années d'ambition de ma jeunesse ont été suivies par les années de notoriété. Voilà que ma vie, dans la soixantaine, avançait de plus en plus vers la réalisation personnelle. Toutes ces années se fondront en une seule avenue : celle de la sérénité.

Tendre vers la paix du cœur.
Avancer avec aisance dans l'agir.
Éliminer les relations difficiles et toxiques.
S'ouvrir à la beauté du monde.
Être un travailleur de lumière. En tout. Partout.

Déjà, en ces années de ma vingtaine, j'avais écrit :
J'ouvre mon cahier, et fidèle à moi-même, je m'accorde du temps. Belle recluse je suis et resterai, tant que je ne me serai pas rapatriée. Réapprendre à vivre sans attente. Il me faudra traverser bien des saisons d'apprentissage. J'entreprends le long voyage intérieur qui me permettra de mieux cerner l'amoureuse échevelée. Doucement, l'angoisse fait place à la sérénité, à mesure que j'avance vers la connaissance de moi.
Je suis dans un avenir qui me fait signe.

Cet avenir, que j'appelle à vingt ans et auquel j'aspire, j'y investirai toute ma créativité. Non seulement comme artiste, mais également dans la traversée de mes amours difficiles. L'écriture quotidienne deviendra ma prière, ma méditation. Me déposer chaque jour, me présenter devant les pages blanches de mon cahier sera ma façon d'arpenter le territoire de mon intériorité.

Collage de Louise, 2017

D'hier à aujourd'hui

J'ai vécu à plusieurs endroits. Différents paysages et territoires ont été le nid de mon inspiration et de ma créativité. J'ai quitté mon Saguenay natal en 1968, et voilà qu'en 2018, je fais un retour aux sources sur les terres qui m'ont vue naître et où j'ai vécu mon enfance et mon adolescence. Un chalet, au bord du lac de ma jeunesse, m'attendait plus avant dans ma vie. Pour y déposer les jours et les réflexions de ma vieillesse.

Que du bonheur ! C'est le nom que nous avons donné à ce chalet en bois rond, voisin de celui de mon frère Dominique. Retour à la famille d'origine, après avoir vécu loin d'elle pendant plusieurs années, tant mon existence fut nourrie de pérégrinations diverses.

Joie.

Venir jouer la dernière partition de ma vie au Saguenay s'harmonise parfaitement à l'essence de mes jours. Merci la vie !

Louise en méditation sur le quai, au bord du lac de son enfance
© Jacques Hébert

Je prends le temps de revisiter ma vie par l'écriture de ce récit partagé avec mes amies d'hier, Marie-Lou et Cricri, mes complices de scène et mes sœurs de cœur. Notre amitié a évolué depuis nos tendres années. Nous avons régulièrement été éloignées les unes des autres par le travail, les amours, certaines déceptions ou certains malentendus, mais chaque fois, ce lien a été renouvelé par l'affection précieuse que nous partageons et qui ne s'est jamais démentie.

Notre amitié nous a ouvertes au respect de l'autre, au fait d'accueillir ses choix amoureux, ses élans artistiques. Et chacune de nos retrouvailles, lors de ces pèlerinages, au cours des cinquante dernières années, nous a confirmé que la tendresse du cœur est certainement le miracle de l'amour et de la fidélité en amitié.

Surtout, il n'est pas nécessaire de s'appeler tous les jours ou de se voir régulièrement, mais bien de choisir chaque moment où l'on se manifeste, à l'une ou à l'autre, par un courriel, par un appel téléphonique ou une correspondance écrite, comme le tissage d'un lien immuable et nourrissant.

Ne pas créer d'attente ou ne pas en souffrir. C'est ce que nous avons réussi à faire, Marie-Lou, Christiane et moi. Entretenir notre amitié dans la LIBERTÉ.

J'ai glané d'ailleurs ce texte sur les rencontres qui parsèment nos vies. Intéressante réflexion que je partage avec vous ici. Cela m'a beaucoup aidée à avoir un meilleur discernement relationnel.

*Les gens se présentent dans notre vie pour une **Raison**, une **Saison** ou pour la **Vie**.*

Lorsqu'une personne est dans notre vie pour une RAISON, c'est habituellement pour combler un besoin que nous avons manifesté. Elle est venue nous aider à traverser une épreuve, *nous offrir son aide, son accompagnement, nous soutenir phy-siquement, émotionnellement ou encore spirituellement. Cette personne est en quelque sorte venue remplir sa **mission** pour laquelle nous la désirions. Puis, sans aucune mauvaise action de notre part et souvent à un moment opportun, cette personne dira ou fera quelque chose pour briser cette relation: quelquefois elle meurt, d'autres fois elle quitte. Il se peut qu'elle agisse de façon à nous faire prendre une position ferme. Nous devons réaliser que notre besoin a été comblé, notre désir réalisé, et que le travail de cette personne est terminé.*

Notre prière a été exaucée, et il est temps de passer à autre chose.

Pour moi, ce fut le cas, par exemple de ma relation avec mon père, avec ma jumelle, avec ma thérapeute...

Parfois, les personnes viennent dans notre vie pour une SAISON. À notre tour de partager, de grandir et d'apprendre. Elles nous apportent une expérience de paix ou souvent nous font jouir de la vie. Elles peuvent nous montrer quelque chose que nous n'avons jamais fait auparavant. Elles nous procurent habituellement une joie unique, incroyable. Mais elles ne sont là que pour une saison.

Pour ma part, je le vis souvent dans mon métier d'actrice et dans mon lien avec mes directeurs et directrices littéraires.

Les amitiés à VIE nous montrent des leçons de vie, des choses sur lesquelles nous devons bâtir afin de nous assurer une fondation solide. Notre travail consiste à accepter la leçon: aimer la personne et mettre en valeur tout ce qu'elle nous a appris afin d'aider les autres à évoluer, à grandir, tout comme à poursuivre notre propre cheminement.

Il est dit que l'amour est aveugle, mais que l'amitié voit loin.

C'est le cas de ma rencontre avec mon époux Jacques, ainsi que certains amis et amies très chers, dont Marie-Lou et Christiane.

Il pleut en ce jour de printemps. Le paysage frissonne, et le lac chante. J'ai le cœur plein de gratitude en mettant la touche finale à ce récit. Une joie anime mon être quand je me remémore le chemin parcouru. De vous avoir retrouvées, mes amies, sous l'ombrelle de nos vingt ans, dépose en mon âme la certitude d'un avenir tendre et doux, à entrer ensemble dans nos années septua-génaires.

Nous sommes toujours vivantes et vibrantes.

Merci la VIE!

Pour terminer, quelques pages écrites à l'été 1975.

Grâce à vous, mes amies, je soulève peu à peu le couvercle de mon bocal, pour mettre le pied sur la terre encore mouvante. L'une à mon bras, l'autre à ma hanche, je peux réapprendre à marcher.

Je suis votre déjeuner préparé dans le silence. Ce fut ma prière de reconnaissance. L'orange, le fromage, les fougères, l'eau qui filtre sont mes gestes d'amour.

Après avoir retiré nos chapeaux de paille, assises toutes les trois sur la galerie d'une maison centenaire, nous écrivons, ou plutôt décrivons, dans nos cahiers, la beauté presque miraculeuse de nos tendresses de femmes. Bergères des terres nouvelles, aux clairières vastes et verdoyantes. Le troupeau que nous menons est en marche. C'est notre vie qui avance, s'écarte et revient, dans le sentier marqué par le destin. Notre bâton de pèlerin, c'est notre cœur recourbé parce que déjà pesant de quelques larmes. Mais après la pluie, la nature se gorge d'espérance.

Avant que ne s'achève l'été, nous aurons complété, chacune, le pèlerinage de nos amours. Quand je repenserai à nous trois, je me souviendrai de notre petite maison sous les arbres, de ton chapeau de paille, Marilou, qui devenait abat-jour quand la nuit sombre envahissait ta chambre bleue. C'est ton lutin orange, Cricri, qui prenait forme dans ce chapeau de plage et me souriait comme une lune chinoise. Quand je me rappellerai toutes ces confidences partagées, je retrouverai sur ma peau la tendre douceur des amitiés féminines.

Votre présence suffit pour terminer cette page.

Louise

CHRISTIANE

EN SOUVENIR D'EASTMAN 1975
ET DU 23 AOÛT 2016

Trois Grâces

C'était une belle journée. Ce 23 août 2016, la fraîcheur du vent commençait déjà à chasser l'été.

Le mois d'avant, la municipalité avait dédié à Louise, cofondatrice des Correspondances d'Eastman, un sentier qui portait désormais son nom. Nous avions convenu d'aller y marcher avec elle pour découvrir ce lieu et pour évoquer nos souvenirs, les souvenirs de notre été de 1975 au Théâtre La Marjolaine. *Madeleine de Verchères* était le titre de la production cette année-là. Louise était Madeleine, Marie-Lou était Véronique, et moi, j'étais Claude de Verchères. Nous formions équipe avec une quatrième comédienne que nous avons perdue de vue avec le temps, et c'est notre chorégraphe Louise Lussier qui complète le quatuor amical ayant survécu jusqu'à aujourd'hui.

Juillet 2015, chez Marie-Lou

Louise nous avait donné rendez-vous dans le stationnement de l'église d'Eastman.

Le matin, j'étais allée voir ma tante à la mémoire éteinte. Comme je devais ensuite passer l'après-midi en très agréable compagnie, j'ai pensé que Marguerite aussi devait vivre quelque chose d'exceptionnel, et je lui ai lu des lettres qu'elle avait conservées d'Arnaud, son premier amour. A-t-elle fait un voyage dans le temps ? Elle écoutait, attentive… Est-ce moi qu'elle entendait ou son amoureux ? Je ne le saurai jamais.

En tous cas, pour la première fois depuis deux ans, depuis qu'elle avait été admise au CHSLD, ma petite tante m'a dit merci au moment de nous séparer.

La route n'était pas longue entre Magog et Eastman, elle n'a pas beaucoup changé d'aspect depuis un demi-siècle. Une sensation de bien-être m'envahissait en parcourant ce trajet si riche en doux souvenirs. J'avais hâte de revoir mes amies et je pensais qu'il était agréable d'être attendue, ça ne m'arrive pas très souvent.

Louise et Marie-Lou avaient fait le trajet depuis Montréal. Elles étaient là. Quelle joie !

« Aménagé sur la piste cyclable au coin des rues Principale et Lapointe, le sentier Louise Portal est orné de trois écriteaux poétiques à l'entrée de la forêt, en plus de trois panneaux retraçant les grands moments de sa carrière, à l'aide de nombreuses photos », peut-on lire dans *Le Reflet du lac* de juillet 2016.

Je connais peu cette rive du lac d'Argent. L'une des rares fois où j'y ai mis les pieds (c'est bien le cas de le dire), c'est après une traversée du lac à la nage que je n'avais pu effectuer dans les deux sens à cause d'un orage. Étais-je vraiment rentrée à pied, vêtue de mon seul maillot de bain, en contournant le lac par le village ? Je crois me souvenir que quelqu'un avait eu pitié de moi et m'avait ramenée en voiture jusqu'à l'Oasis.

Ce jour-là, nous sommes allées visiter notre chalet. Ce n'était pas prémédité, nous voulions juste passer devant, le revoir de la route… mais apercevant sur le balcon une dame qu'elle a supposée être la propriétaire des lieux, Louise s'est avancée vers elle et s'est mise à lui parler de nous, de l'histoire ancienne de l'Oasis. Très affable, la dame nous a fait visiter l'endroit. Nous n'avons pas retrouvé nos trois chambres, l'espace avait été décloisonné, mais c'était bien le lieu de notre quotidien, de notre amitié et des quêtes amoureuses de cet été-là.

Nous sommes montées jusqu'au théâtre, c'était un mardi après-midi, rien n'était encore ouvert pour les représentations de la semaine, mais nous nous sommes assises à une table du jardin, et Marie-Lou, qui avait apporté son journal de l'été 1975, s'est mise à en lire des extraits. Ce moment-là, hors du temps, nous a ramenées dans un passé très doux et fut sans doute le déclencheur qui inspira à Louise l'idée de ce regard à trois sur « la vie, l'amour, le métier ». Elle nous a même fourni à chacune, quelques jours plus tard, un petit cahier aux pages blanches, avec notre photo dedans… notre photo d'il y a quarante ans.

De retour au centre du village d'Eastman, nous avons mangé un morceau au restaurant Les Trois Grâces. Ce lieu m'intriguait, car en 1975, on nous appelait les Trois Grâces. Qui, la première fois, nous avait surnommées ainsi ? Je ne m'en souviens plus. Toujours est-il que ce n'est pas à nous que le restaurant doit son nom, mais bien aux silhouettes généreuses des fondatrices de l'établissement. Comme quoi le hasard fait parfois les choses avec économie, et d'une pierre deux coups, commémore notre passage à Eastman.

L'accident

Quand je revisite Eastman 1975, il ne me vient jamais à l'esprit de pousser du côté d'une certaine écurie, à Cowansville, où a pourtant eu lieu, juste avant le début des répétitions, l'accident de cheval qui a failli compromettre ma participation au spectacle *Madeleine de Verchères*. Durant le mois de mai 1975, j'ai dû partager mon temps entre les répétitions pour Eastman et quelques tournages en extérieur pour la deuxième saison de la série *La Petite Patrie*. Ces tournages comportaient, entre autres, des scènes de promenade équestre. Afin de pouvoir monter sans problème et profitant de l'occasion pour m'initier à un sport qui m'attirait, j'avais résolu de suivre quelques cours d'équitation et m'étais engagée pour quinze leçons.

Ce jour de mai 1975, jour de la troisième leçon, si la bête a voulu m'avertir qu'elle allait sauter la clôture, je ne l'ai pas senti, et si je lui ai demandé quelque chose, je ne m'en suis pas aperçue ; tout ce que je sais, c'est que je ne voyais rien. Nous venions de sortir du manège intérieur, j'avais de la poussière plein les cils et des lentilles de contact rigides dans les yeux. Tandis que le cheval s'élançait pour sauter, je suis restée dessus, aveuglée par la poussière, mais cramponnée à la bride, puis à sa crinière, et c'est sur son échine que j'ai rebondi. Crac ! J'ai entendu un bruit franc. Je n'ai pas su tout de suite ce qui des deux avait craqué : mon coccyx ou l'échine de ma monture.

Le même jour, après avoir brossé et nettoyé le malheureux Boute-en-Train (c'était son nom) et après lui avoir donné ses carottes, je suis allée, comme prévu, rendre visite à mes parents à Magog, puis, en soirée, comme promis, voir avec ma petite sœur *Le Parrain 2* dans un cinéma de Sherbrooke… munie d'un coussin, car j'avais mal.

Mais il ne semble pas que la douleur m'ait empêchée d'être vivement impressionnée par le jeu d'Al Pacino. J'ai rêvé par la suite d'une silhouette sombre et taciturne, assise à l'intérieur d'une voiture noire des années 1940, et dont on devinait, dans l'ombre, le beau visage à peine tourmenté par une profonde et secrète souffrance. Cette image est souvent revenue habiter mes nuits.

Le lendemain, à l'urgence de l'hôpital de Magog, me fut confirmée la fracture. « Une cassure nette, une vraie belle fracture ! Il faudra quarante jours pour que l'os se ressoude. Vous ne devez pas faire d'exercice avant la fin de cette période », avait dit le médecin, inconscient du fait que je commençais mes répétitions pour *Madeleine de Verchères* le jour suivant (lundi) et que la première aurait lieu précisément quarante jours plus tard.

J'ai dû apprendre par cœur les mouvements de la chorégraphie et me contenter de les esquisser peu à peu, vaguement, avant de pouvoir m'y lancer pour de vrai. Ce n'était l'idéal pour personne, mais je crois que notre metteur en scène Albert Millaire, bon prince, excellent cavalier et amoureux des chevaux, ne m'en a pas voulu.

À l'ombre des pins – Le vide

Je me souviens d'arbres très odorants autour du chalet que nous habitions – c'étaient surtout des pins –, je me souviens d'une pénombre douce où j'attendais que quelque chose vienne, l'amour ou autre chose d'heureux... Je me dis qu'indéniablement, du simple fait qu'elle ait écrit qu'elle était là, à attendre, cette fille rêveuse que j'étais a vraiment existé. J'ai conservé les quelques cahiers du temps où elle tenait son journal intime.

Le premier de ces cahiers ouvre sur la date du 16 juillet 1975 et il ne contient aucune allusion au fait qu'un cheval emballé aurait pu me priver de jouer, de danser, d'être là sous les pins.

16 juillet

Il me manque quelque chose. Je ne sais quoi au juste. Mais j'aimerais au moins comprendre pourquoi je sens le vide en moi. J'aimerais sentir un appel de quelque part ou de quelqu'un.

La musique (Satie) coule dans son harmonie. En moi, tout est si cahoteux.

[...]

J'attends. Quoi de plus stérile qu'un moment d'attente! C'est mon point faible. J'ai cru à plusieurs reprises devant un regard, une hésitation, une fuite, qu'on décelait cette faiblesse dans mes yeux, par les pores de ma peau. Je me fais souvent l'effet d'une quêteuse.

Déjà à cette époque, je ne croyais pas vraiment que l'amour comblerait le vide que j'essayais de dissimuler aux autres, ce vertige qui me tirait vers le noir et dont je craignais qu'il ne m'isole davantage si les autres venaient à le déceler. Je tâchais de donner le change. Et cet été-là, je m'étais rendu compte que les autres aussi avaient des vides à combler, même s'ils ou elles lui donnaient d'autres noms plus beaux, comme « soif d'aimer », « désir d'être aimé ».

Tout en moi cherchait l'amour, mais paradoxalement, je n'osais pas trop prétendre être aimée. Je sentais confusément que ce n'était pas pour moi, que c'était trop beau et trop tôt. Me remettre de la rupture encore douloureuse de l'année précédente, ce serait déjà quelque chose. Chat échaudé craignant l'eau froide, je restais prudente et j'espérais en même temps qu'il se produise quelque chose d'heureux et d'extraordinaire. Ces tendances contradictoires créaient un étrange équilibre, suffisant pour que je puisse me maintenir au-dessus de mon vide. En cela, je n'ai pas beaucoup changé, mais pour le reste, en cette fille que j'étais, j'ai peine à me reconnaître. Elle m'est devenue un peu étrangère.

La beauté du monde

La porte était ouverte à l'espoir, et rêver ne fait de mal à personne. Et justement, il y avait Arthur... Il s'appelait Serge, mais je l'appelais Arthur parce qu'on s'était connus à dix-sept ans, qu'« on n'est pas sérieux quand on a dix-sept ans » et qu'il avait à mes yeux le charme révolté d'Arthur Rimbaud.

Nous rêvions beaucoup à cette époque. Nous fumions des joints les jours de congé, et parfois, à mesure que la fin de semaine approchait, le soir après la représentation. Il n'y avait qu'un jour de relâche par semaine, lequel avait donc son importance, car nous travaillions fort. Les premiers lundis ont servi de temps de récupération, avec baignades dans le lac d'Argent et bains de soleil, censés nous remettre du stress des générales et de la première. Plus tard en saison, nous avons eu de magnifiques lundis, passés à vagabonder dans la campagne environnante, et la petite municipalité de North Hatley, au bord du lac Massawippi, est devenue notre lieu de prédilection. C'est là que nous avons rencontré Dame Jacqueline, qui tenait la boulangerie du village et qui savait rasséréner les jeunes femmes en peine en leur donnant de précieux conseils sur les rapports amoureux.

Je ne sais pas jusqu'à quel point nous nous préoccupions de ce que devenait le monde que notre génération voulait tant changer.

Je ne me souciais pas trop de m'informer, je n'en avais pas le temps, le travail ne me manquait pas en 1975 ; je côtoyais beaucoup de gens, dans les salles de répétition de Radio-Canada et ailleurs, on commentait volontiers les événements politiques de l'heure, et c'est ainsi que les nouvelles venaient jusqu'à moi. Mon regard sur le monde était un peu voilé, filtré par l'opinion de ceux dont j'étais proche, il me semble que je flottais sur l'air du temps.

Nous, pour qui la révolution avait eu cette particularité d'être tranquille et d'être initiée par des gens de l'âge de nos parents, avions été réveillés brutalement lors de la crise d'Octobre. Malgré tout, si, dans le contexte de la lutte identitaire, nous étions décidés à poursuivre le combat, nous étions peu enclins à recourir à la violence. C'est en « gagnant nos élections » et dans l'euphorie que nous répliquerions, six ans après, au soufflet de la Loi sur les mesures de guerre.

Un des musiciens de la troupe, le percussionniste, avait composé la musique d'une très belle chanson intitulée *Ne tuons pas la beauté du monde*. J'aimais et j'aime encore beaucoup cette chanson qui aujourd'hui me fait pleurer. Nous savions qu'il y avait ce danger : qu'on tue la beauté du monde. Mais en 1975, je n'allais pas jusqu'à concevoir que nous puissions détruire notre planète, alors qu'aujourd'hui, le monde est conscient que nous touchons le point de non-retour. L'atteinte à la beauté du monde était une notion presque romanesque, nostalgique d'un paradis perdu, avec l'amour universel comme remède.

La guerre

Nous étions solidaires de la révolte de nos voisins du Sud contre la guerre au Vietnam. C'est au cours de l'adolescence que nous avions appris le sens du mot « déserteur ». Nous connaissions tous de jeunes Américains qui avaient préféré renoncer à leur nationalité et monter vivre chez nous avec leur guitare plutôt que d'aller se battre contre des gens de leur âge pour une cause qui perdait, de massacre en massacre, toute légitimité sur le plan humain. Il y avait trop de violence de part et d'autre pour qu'on ne voie pas que la seule chose juste à faire était d'arrêter de se battre. La fin de la guerre arriva en 1975, entraînant la fuite de milliers de Vietnamiens du Sud – je me souviens que ma mère était bouleversée par le sort des *boat people*, à la suite d'un reportage qu'elle avait vu à la télévision.

En même temps que la chute de Saigon, une autre guerre commençait à Beyrouth, qui déchirerait le Liban durant quinze années. Cette guerre-là allait me toucher d'un peu plus près parce que j'avais eu un amant libanais, venu étudier ici, à Sherbrooke, et qu'il trouverait la mort à l'âge de vingt-trois ans.

Mais à Eastman, en cet été de 1975, on ne se préoccupait que de beauté, d'amour, de douceur.

Toute la journée s'est passée dans la ouate d'un rêve. Ah ! la détente, la caresse amoureuse des sourires, des gestes, des rires, la musique, la pluie, les élans de cette journée ; le départ en caravane... On est partis fêter Robert [Lalonde, notre camarade de jeu], *avec la joie d'aller lui donner chacun de son bonheur.*

Seule petite ombre au tableau : Arthur avait préféré ne pas venir... Mais j'étais fermement décidée à ne pas céder à cette ombre une parcelle de la lumière de ce jour-là.

Marie-Lou Dion, Christiane Pasquier, Robert Lalonde,
Louise Portal et Maryse Pelletier dans *Madeleine de Verchères*
© André Le Coz

L'été de l'amour

C'était un été voué au privilège d'aimer en toute liberté. Avoir un amant qui était en couple ailleurs n'était pas un problème, on respectait le couple, mais on ne se privait pas pour autant. Ainsi, à propos d'Arthur :

On a beaucoup parlé cette nuit-là ; de lui, de sa femme, l'incarnation de la responsabilité, la responsabilité devenue lien, entrave à son ouverture à tout ce qui s'offre à lui et qu'il finit par ne plus voir. Et moi, je personnifie la liberté, l'appel qui a traversé les parois devenues étouffantes du nid.

La quête du plaisir était doublée d'une revendication du droit d'être soi-même, jusque dans les voluptés et les arcanes du désir.

Il me regarde plus qu'avant. Il aime mes mains, mes lèvres. Il est bien en moi. Son corps me comble, son corps doux, souple, son corps qui sent si bon, une odeur que j'ai toujours connue.

Arthur, j'en étais convaincue, avait avec moi des points communs, dont un d'importance qui se rapportait à l'absence du père. J'aurais bien aimé que nous en parlions, que nous partagions cette blessure, j'aurais aimé qu'il m'aime.

J'aurais tant voulu le garder près de moi pour la nuit.

Faute de quoi j'appréciais cette étrange amitié qui l'incitait à m'attirer vers lui, et même dans son lit, quand il avait besoin de s'évader de ce qu'il avait déjà fixé comme cadre pour sa vie sentimentale ; il avait une vie à deux et désirait y rester fidèle dans la mesure du possible, lequel possible n'excluant pas quelques aventures. Avec moi, notamment.

Combien de temps devrai-je me rassasier du souvenir de ma seule et unique nuit avec lui ?
J'ai si peur de l'effaroucher ! Je voudrais écrire des mots purs comme le cristal pour l'attirer vers la tendresse qu'il m'inspire.

Parfois, j'essayais d'exciter un peu de jalousie de sa part, mais ça ne fonctionnait pas très bien, il démissionnait rapidement.

Il a fui, fragile, sauvage, vulnérable.
— Je te la laisse, avait-il dit à celui [mon ami Jacques L.] *qu'il avait pris pour un rival.*

Ce qui fait que j'allais me consoler ailleurs, croyant bien faire, toujours au nom de la liberté, mais surtout pour me construire une carapace contre une éventuelle douleur d'amour.

Mes yeux viennent de tomber sur la petite valise de X au pied de mon lit. Il est doux, simple, délicat, passionné, il a de l'esprit, le sens de l'humour et trente et un ans. J'ai passé de bons moments avec lui. Mais avec Arthur, j'en ai passé de sublimes.

Même sur ma famille, cet été-là, soufflait un vent… d'émancipation amoureuse… Mon père vivait une passion qui l'entraînait hors du nid familial. C'était la première fois – ce fut aussi la dernière – que je voyais mon père aux prises avec un sentiment plus fort que lui, et ça risquait de devenir très sérieux.

Avec des yeux qui m'ont bouleversée parce que je n'ai jamais vu ces yeux-là exprimer une passion aussi dévorante, il me dit :
— Samedi soir, étais-tu bonne ?
— Euh... pas... pas vraiment. (Je venais de déplorer l'inégalité de mon jeu.)

J'avais été très étonnée par cette question, qui était une manière pudique de me dire qu'« elle » était venue voir le spectacle.

Je n'ai jamais rencontré cette dame. Il paraît que c'était une institutrice. Ma mère, traumatisée, avait cru voir son mariage terminé, sa vie ruinée. Ma jolie petite mère qui, dans le même temps, s'était permis une *« aventure avec un jeune Américain de vingt-huit ans, pleine de l'énergie que donne la joie de plaire et d'être attirée mystérieusement par un inconnu de passage »*.

Et j'attendais... malgré le fait que j'étais assez demandée sur le plan professionnel, j'attendais quelque chose de plus important que le travail, sans doute de me sentir aimée... mais certainement pas de fonder un foyer comme Arthur, que je sentais écartelé entre ses besoins de sécurité affective et ses soifs d'aventure et de liberté. Pour ma part, consciemment ou non, la sécurité affective, je n'y croyais pas.

Des enfants...

Avoir des enfants n'avait pas vraiment de sens pour moi. J'ai toujours eu ce sentiment que je n'aurais pas su faire mon métier et prendre soin d'enfants en même temps, et j'admire les actrices qui y parviennent. Mais pour ma part, j'avais ce sentiment, solidement ancré dans le cœur – dans les gènes –, que les enfants étaient une épreuve. J'ai toujours entendu ça dans ma jeunesse, que si les enfants n'avaient pas été là... J'ai beaucoup senti que je dérangeais, moi et aussi mes frères, et j'avais hâte d'atteindre l'âge où on ne dérange plus personne.

Pendant mes premières années à l'école primaire, je pensais que si j'avais des enfants un jour, je serais incapable de les protéger dans le cas où une guerre éclaterait. Outre le fait que j'étais née peu de temps après la fin de la Seconde Guerre mondiale, qu'on en parlait encore beaucoup et que les films que mes parents allaient voir au cinéma étaient des films de guerre, j'ai été éduquée dans le contexte d'une autre sorte de conflit. Mes parents s'aimaient, mais il y avait beaucoup de tension dans les rapports familiaux. Mon père, habitué à se taire, comme il l'avait appris au pensionnat, et ma mère, élevée par trois femmes promptes à se quereller, s'affrontaient souvent. Et soudain, un orage éclatait sur un problème de fond, dont l'argent n'était pas le moindre.

Je n'aurais pas su rendre des enfants heureux, ils auraient souffert d'être issus de moi, de mon vide. On pourrait dire du vide hérité de mon père, car lui non plus n'avait pas senti sur lui le regard amoureux de son propre père ; ce qui lui avait été enseigné, c'était qu'un homme n'était pas fait pour exprimer des émotions, mais pour les contenir, les dissoudre, ou laisser aux femmes le soin de les nommer.

À l'Oasis

Je sentais que mes deux colocataires m'aimaient bien et m'acceptaient telle que j'étais ; elles ne se laissaient pas déconcerter par mes façons de faire un peu sauvages parfois, qui résultaient de mon manque d'assurance et de ma crainte de déranger.

Loin de l'agacement qu'aurait pu me causer la promiscuité à l'Oasis, je m'y sentis vite bien. À ma place. Auprès de mes deux amies, je trouvais la paix. Leur générosité m'apprenait beaucoup de choses : la douceur, la confiance, l'amitié, la tendresse. Nous formions un trio harmonieux, et c'était une amitié presque amoureuse que nous partagions. Nous nous servions mutuellement de refuge au sortir d'une épreuve qui venait de marquer le cœur de nos vingt ans. Nous étions trois rescapées d'une erreur amoureuse, d'un don de soi aussi entier qu'inutile. La vie s'était moquée de notre jeunesse et avait défiguré nos certitudes et nos idéaux.

Mais le désir était plus fort que la prudence, et la nature reprenait ses droits : nous rêvions encore d'amour. Malgré la ferme résolution de ne jamais plus nous laisser blesser, nous ne pouvions nous empêcher de nous exposer au danger. Il y avait beaucoup d'hommes autour de nous, vers qui diriger nos regards. À mesure que la saison avançait, le spectacle attirait un nombre grandissant d'amis, de musiciens, de comédiens. Plus l'été se réchauffait et plus le spectacle était rodé, plus les sens étaient exaltés, sous le toit ardent de l'ancienne grange qui logeait le théâtre. C'était excitant de penser que peut-être, ce soir, une fois le rideau tombé...

Rêve de jeunesse

Doux temps des amours, c'est le titre de la première comédie musicale que j'ai vue, en 1964. J'avais seize ans, je n'osais pas trop rêver de devenir comédienne, ma famille venait de quitter

Québec et d'emménager à Magog, tout près d'Eastman... Je ne le savais pas, mais en cette fin d'été 1964, j'assistais à la première comédie musicale canadienne-française jamais créée.

J'avais une place au premier rang, en plein milieu ; mes parents avaient trouvé à se placer un peu plus en arrière tout de même... Quant à moi, émerveillée et presque intimidée, je n'étais pas loin de m'imaginer que Claude Léveillée chantait et dansait juste pour moi.

Deux étés plus tard, c'est *Ne ratez pas l'espion* que j'ai vu, au Théâtre La Marjolaine, et c'est Élisabeth Chouvalidzé qui m'a éblouie. Elle était si vive, si authentique, et elle dansait si bien... Où pouvait-on apprendre à chanter et à danser avec autant de style ?

Malgré la compétence de mes professeurs à l'École de théâtre et au privé, je n'ai jamais pu, hélas, apprendre à chanter avec bonheur. Chaque note est un défi, tandis que mes amies Louise et Marie-Lou chantent comme des fées glissant sur les flots harmonieux d'une rivière... Je considère que c'est avec beaucoup de patience qu'Albert Millaire a utilisé mes modestes aptitudes pour le chant.

La danse était davantage ma tasse de thé, mais à cause de l'accident de cheval, ce n'est qu'à la période des générales que le metteur en scène a pu voir les tableaux dans leur ensemble. Généreux Albert... qui m'a quand même confirmé, vers la fin de l'été, que j'allais continuer à faire partie de « sa » troupe l'automne suivant, pour la création de la comédie musicale *Marche Laura Secord*. Quelle joie ! Albert magnétisait ses collaborateurs, et son exubérance ne l'empêchait pas d'être exigeant.

Le contrat du Théâtre La Marjolaine impliquait que les comédiens soient en forme. Nous montions sur scène six soirs par semaine et deux fois le samedi ; nous chantions, dansions dans une ancienne grange dépourvue d'air climatisé.

Ces conditions ne nous empêchaient pas d'avoir des journées très actives. Escortée en chaloupe ou en pédalo par notre « frère d'eau », le fidèle et obligeant Gilbert, un des comédiens de la troupe, je traversais, souvent avec Louise, le lac d'Argent à la nage en début d'après-midi, et il m'arrivait ensuite d'aller faire des courses ou bien de jouer une partie de tennis. À sept heures du soir (je notais l'heure à laquelle j'écrivais dans mon cahier), Louise, Marie-Lou et moi étions encore au chalet, à écrire tranquillement notre journal, pendant que le jour s'apaisait dans la magie du crépuscule. Juste avant de monter la côte, et que commence le cortège des voitures du public, nous nous accordions ce moment de recueillement n'ayant pas grand-chose à voir avec la performance à venir...

Cela m'apparaît à peine croyable maintenant : la chute du jour n'a plus le charme insouciant de jadis quand je joue au théâtre, alors que je sens la montée du trac et que j'évite soigneusement tout ce qui pourrait troubler mes préparatifs et rituels de fin d'après-midi. C'est un peu comme si, aujourd'hui, je passais virtuellement la journée près des coulisses.

Le tourbillon

Cet été 1975, aux teintes parfois mélancoliques mais plein de la beauté du monde, riche de promesses et si doux de la fabuleuse inconscience de la jeunesse, fut le bal des amours furtives, et pas seulement pour nous.

On était au milieu de fastueuses années de légèreté. Il semble que tout le monde cherchait l'amour, l'abandon ou la conquête dans les bras d'une ou d'un autre, quelles que soient les orientations sexuelles.

À Eastman, vers le milieu de juillet, se leva quelque chose comme un tourbillon… Comme si tout le désir qu'il y avait dans l'air nous avait aspirés dans une longue et chaude valse de rencontres, de regards croisés, de séduction… et de nuits blanches.

L'Oasis devint très fréquenté. Peu à peu, il sembla que les Trois Grâces ne manquaient plus de rien.

Pour ma part, le feu d'artifice s'était produit à la mi-juillet avec Arthur. Cette nuit-là, je goûtai un fruit d'autant plus délicieux qu'il était inattendu et en principe défendu. Pour moi, c'était beaucoup plus qu'une amourette de passage, et cet homme-là m'inspirera toujours une infinie tendresse.

Puis arriva l'autre homme qui me faisait rêver :

Je venais sans le savoir de me mettre sur la route de Don Quichotte.

Celui-là aurait été dangereux à fréquenter. Il ne m'avait jamais laissé croire que je puisse faire partie de sa vie, il aimait surgir de temps en temps, parfois servi par le hasard ; je l'ai même croisé à Paris quelques années plus tard. Quand il s'éloignait, je ne cherchais pas à le revoir. Ce n'était pas quelqu'un que j'aurais pu apprivoiser ou qui aurait cherché à m'apprivoiser. Mais les moments passés avec lui ont été gracieux, pleins de douceur et finement teintés d'humour.

Quand Don Quichotte est arrivé au Chat gris [le bar du théâtre], *il s'est assis près de moi et ne m'a plus quittée jusqu'au lendemain matin. Tout ce que je disais l'intéressait, et il parlait*

un langage que je n'avais pas besoin de traduire. Un peu frêle,
il m'a confié qu'il traversait la période la plus difficile de sa vie.
[...] On a passé la nuit à parler de nos âmes, de nos amours et
des trajectoires de nos vies. On a célébré en buvant du vin et en
se livrant des secrets – magie de notre rencontre. Je lui donnais
ce que j'étais, en cette nuit tiède, et je recevais sa présence comme
une force. Lui, frêle de chagrin, triste et un peu amer devant sa
propre image, a rouvert les portes à ma joie de vivre, a chassé
la lourdeur de ma mélancolie. Sans prêcher. Il s'est juste un peu
penché pour prendre ce que j'avais envie de lui donner.

Plus tard, j'ai su qu'il avait eu à lutter contre la maladie, et certainement aussi contre autre chose que j'ignore. Je l'avais toujours su désespéré. Mais d'un désespoir discret, qu'il portait élégamment et qui voilait à peine son sourire désabusé et charmeur.

Je ne sais plus pourquoi, en 1975, je l'avais affublé du surnom de Don Quichotte, peut-être à cause de ses idéaux politiques ; j'aimais son regard sur la société québécoise, à la fois tendre et impitoyablement lucide.

Le manque

Le tourbillon des désirs et des nuits blanches ne ralentit pas de l'été. Au point qu'un des deux auteurs de la pièce, ahuri, s'était amusé, lors d'une visite, à compter le nombre de voitures stationnées devant l'Oasis. « D'où sort-il celui-là ? » s'était-il exclamé en voyant passer un « invité » venu remplir une chaudière d'eau à l'évier de la cuisine pour aider la chasse d'eau des toilettes qui venait de lâcher....

La constance des deux hommes qui excitaient mon désir et me faisaient rêver m'était refusée. Ils avaient chacun leur compagne, et sans être mariés, ils avaient toutefois créé un foyer. Mais il semble que je n'aie pas trouvé trop douloureux de renoncer à ces amours impossibles : je les reverrais, les recroiserais, je laissais à ma bonne étoile le soin de me faire à nouveau le cadeau de leur présence... C'était le privilège de la jeunesse. C'était le privilège de la liberté.

Vint un troisième homme, qui était libre et qui m'aimait, mais celui-là, je ne l'aimais pas. Déjà, j'étais comme ça : impuissante à aimer où on m'aimait, encline à donner où l'on ne tenait pas à moi.

Le jeune musicien guettait son heure et souffrait de me savoir en attente d'un autre que lui. Il fut patient, et finalement, c'est dans les filets de sa tendresse et de son séduisant esprit chevaleresque que j'ai terminé l'été. Quand un jeune homme vous dit qu'il prépare « un enlèvement en règle », il y a de quoi faire fondre les résistances.

Je me jugeais nettement plus expérimentée que mon candide nouvel amant de vingt ans, qui m'offrait un bel amour de transition, de cela je n'étais pas dupe, ça n'allait pas durer, et je l'acceptais comme un cadeau de la vie. Je pensais pouvoir apprendre au moins cela : accepter sans réciprocité.

Sans pouvoir offrir plus en retour qu'une tendresse reconnaissante, je me suis donc laissée aimer. C'est une chose que je n'ai plus jamais faite par la suite, préférant l'intransigeance d'un refus immédiat, préférant offrir cette violence plutôt qu'un faux espoir, un mensonge qui implique toujours pour l'autre la cruauté de la désillusion et le sentiment d'avoir été trahi.

La vie m'avait appris à me mettre à la place de celui qui aime sans retour. C'est une place que je connaissais instinctivement, pour l'avoir occupée dans ma famille. De mon père, j'avais attendu longtemps qu'il sorte de sa réserve, qu'il ouvre une fenêtre entre lui et sa progéniture, qu'il descende de ce socle d'intouchable où, par la force des choses, ses enfants l'avaient placé.

Et puis, j'avais fini par comprendre que s'il n'avait pas d'yeux pour ses enfants et s'il semblait nous subir plutôt que de s'amuser avec nous, ce n'était ni par mauvaise foi ni par indifférence. C'est ainsi qu'il avait appris à vivre la paternité, dans cette pénurie d'attention et de tendresse. Et s'il gardait jalousement son temps libre pour lui, c'était sans doute pour avoir trop manqué de liberté pendant ses quinze années de pensionnat.

Dix ans après l'été d'Eastman, je m'aventurerai dans le désert de cette absence paternelle. Je verrai le champ dévasté au cœur de ma vie, et de celle de mes frères. J'ai toujours eu mal pour mes frères de cette transmission par le manque plutôt que par l'affection.

La « robe de princesse »

J'ai été une jeune comédienne heureuse, c'est bel et bien inscrit dans mon journal.

Après l'été d'Eastman, j'allais retrouver Murielle, un personnage gracieux, capricieux et attachant, dans la série télévisée tendrement écrite par Claude Jasmin : *La Petite Patrie.*

Christiane pendant le tournage de *La Petite Patrie*

Il y aurait une autre série après celle-là, *Du tac au tac*, dont le style humoristique annoncerait la grande vague d'humour national, qui allait rallier ici, au Québec, autant de monde que le hockey. J'étais heureuse et je m'épanouissais dans l'exercice de mon métier, au contact des autres. La vie professionnelle était douce, la vie sentimentale n'était pas trop éprouvante, avec de bons et de mauvais choix, de grands questionnements et quelques claques sur la gueule. Malgré quelques déroutes du cœur et du désir, le succès me donnait le sentiment d'être appréciée, et un peu de cette aisance de ceux qui se sentent aimés.

Puis, il y eut, dans les années 1980, la première série de la trilogie urbaine sur les femmes écrite par la regrettée Lise Payette : *La bonne aventure*. Le personnage d'Anne était beau, attachant, et vint encore me rapprocher du public. Ainsi, depuis mes débuts, on ne sait pas pourquoi, j'avais enchaîné les séries de télévision. J'avais eu cette chance, vécu cet enchaînement de privilèges.

Ce qui ne m'avait pas empêchée, entre deux séries, de traverser une sorte de mise en abîme, une période de remise en question de mon métier de comédienne, qui me sembla soudainement futile autant qu'inutile. Cela avait commencé après l'échec douloureux du premier référendum. Quand madame Payette, ancienne ministre à la Condition féminine et au Développement social, très engagée dans le mouvement féministe, avait dit à la télévision qu'elle était en train d'écrire une série pour donner à la femme de trente ans sa juste place dans la société, je lui avais écrit immédiatement, dans l'espoir d'être doublement recrutée : pour cette cause de la femme de trente ans qui me tenait à cœur, et pour gagner ma vie comme comédienne sans me sentir coupable d'imposture.

Le comédien qui jouait mon mari n'ayant pas voulu renouveler son contrat pour une deuxième année de *La bonne aventure*, j'ai dû composer avec la grande épreuve que l'auteure imagina pour mon personnage : la mort de l'homme aimé. Voulant mettre en pratique les principes de la Méthode, étudiés lors d'un récent stage à New York auprès de Warren Robertson, soucieuse de jouer vrai, de ne pas jouer en somme, je me suis fouillé l'âme à la recherche d'un chagrin qui serait de même densité que la mort d'un mari. J'en trouvai un, de taille, à pleurer pour de vrai, et j'entrai dans une sorte de vrai deuil.

Non que mon père fût décédé à ce moment-là, mais l'illusion que j'avais toujours eue d'avoir été aimée de lui se dissipa comme une fumée par journée de grand vent. Quel événement a pu provoquer cette prise de conscience ? Je m'étais crue portée au-dessus du vide, alors que le regard de mon père, je me mis à considérer que je ne l'avais pas eu. Que je l'avais imaginé, l'avais déduit d'une certaine logique voulant qu'un père soit paternel. Je n'avais jamais été la petite fille de ce père observé un jour dans un autobus, debout avec sa fille dans les bras, qui n'avait d'yeux que pour elle et ne se lassait pas de la regarder et de la serrer contre lui… Je n'avais jamais été cette petite fille aimée.

Est-ce cet événement-là qui fut le déclencheur de la prise de conscience : la vue de cet homme dans l'autobus qui cajolait sa petite fille, qui en était amoureux ? Ce n'était pourtant pas la première fois que je voyais une enfant dans les bras de son père.

Beaucoup plus tard encore, au cours d'une tournée en France, j'avais remarqué cette autre petite fille qui accompagnait son père au *party* de la dernière représentation des *Femmes savantes*, spectacle dans lequel ce père et moi travaillions ensemble. Elle me semblait vêtue d'une étrange façon, de tulle et de satin rose, presque déguisée. « Elle a mis sa robe de princesse », m'avait expliqué le papa… pas du tout décontenancé par mon regard étonné. Moi qui n'ai pas eu d'enfants et qui n'ai qu'un neveu, j'ignorais que ce concept vestimentaire de la robe de princesse n'était plus réservé aux jeux de déguisement et aux fêtes d'Halloween.

Quoi qu'il en soit, cette enfant si fière d'accompagner son papa et qui avait tenu à revêtir, pour l'heureuse occasion, sa robe de princesse, m'a rappelé mes rêves de petite fille, où je fuyais en pleurs dans les escaliers en colimaçon de tours sombres et moyenâgeuses. La petite princesse était malheureuse, mais malheureuse comme les princesses l'étaient dans les films, dans les histoires inventées ; dans ma vraie vie de petite fille, je pouvais toujours considérer que tout était normal. Et que même ces images oniriques de moi en train de descendre en pleurant un escalier sombre en colimaçon étaient quelque chose de normal : une princesse, c'était malheureux par nature. C'était déjà beau d'en être une, eût-il fallu qu'en plus on doive être heureuse ?

À son insu, le public de *La bonne aventure* a été témoin de la désillusion d'une princesse manquée. Je ne suis sans doute pas la seule femme de ma génération à avoir fait des rêves de princesse en pleurs dans des châteaux sombres...

Lors de ces beaux lundis d'Eastman évoqués plus haut, quand nous partions tous « en caravane » vers North Hatley, je crois que, sans trop m'en rendre compte, je portais ma « robe de princesse » : une belle robe à la jupe longue et assez ample, au corsage entièrement brodé à l'indienne, que j'appelais ma robe hippie. C'était la robe des jours heureux. Je ne la choisissais que lorsque j'étais sûre que l'occasion allait m'apporter de la joie et me permettre de m'y abandonner en toute confiance, en terrain ami.

Puis l'arrêt, puis la fuite

Vint une autre période où mon métier m'apparut comme inutile, mais avec cette nuance qu'il était réellement devenu tout juste bon à me faire vivoter maigrement... Je n'avais plus de mission, on ne me confiait plus rien, plus question de « donner à la femme de trente ans la place qui lui revient dans la société », comme l'avait si bien revendiqué Lise Payette, l'ancienne battante, figure de proue de la politique québécoise et auteure de *La bonne aventure*.

On ne sait pas pourquoi, c'était la fin des privilèges, il n'y avait plus rien.

Cela ressemblait à une chute de carrière, mais que la vie adoucit en m'offrant l'occasion d'aller vivre en Angleterre pour un temps. La décision ne fut pas difficile à prendre, d'autant qu'au début, il n'était question que d'une année d'absence. Et quand bien même, suivant le conseil de la figure de proue, alias madame Payette, pour qui il était impensable de « quitter son pays pour un homme », je serais restée à la barre de mon petit navire, s'il n'y avait rien à l'horizon, à quoi bon ? Il aurait fallu que je puisse écrire, moi aussi, de quoi gagner ma vie ! À défaut de quoi, j'allais me nourrir de l'écriture des autres et de bon théâtre anglais, je ferais des stages en jeu et je tâcherais d'apprendre l'anglais une bonne fois pour toutes... Une sabbatique prolongée, c'est en ces termes que je qualifiai mon choix, pour m'alléger la conscience.

Après tout, ce ne serait pas la première fois que je m'offrirais une période d'observation ou de perfectionnement : New York en 1984 pour des coaching en jeu, Florence en 1980 pour poursuivre des cours de langue italienne commencés ici... Il était peut-être dans la logique des choses que j'aille vivre à Londres avec un Italien...

Sauf que cette fois, au-delà du voyage en solo et du tourisme d'études, il s'agissait de vie commune en pays étranger avec mon amoureux. D'une part, c'était presque trop beau pour être vrai. Je pensais qu'il pourrait ne plus jamais arriver qu'on m'offre autant d'amour et que mon désir puisse répondre aux attentes de l'être aimé. Notre attirance était pleinement réciproque. Cela ne m'était pas arrivé depuis longtemps, c'était un coup de foudre, un véritable *colpo di fulmine*.

D'autre part, cela signifiait un dépaysement total par rapport à l'indépendance à laquelle j'étais habituée jusqu'alors : car tout se ferait désormais à deux, alors qu'il était douteux que je puisse trouver du travail en Angleterre…

La passion balaya les doutes, et au lieu de naviguer dans les remous de l'incertitude professionnelle et d'attendre que sonne le téléphone, j'ai tout quitté et me suis retrouvée installée dans un coquet appartement londonien avec l'homme qui m'aimait.

C'était le milieu des années 1980 ; le libre-échange gagnait les marchés, mais sexuellement, il ne pouvait plus guère être question d'échange libre. Toute relation non protégée impliquait qu'il fallait d'abord passer le test du sida. En outre, les jeunes quarantenaires que nous étions, les couples rencontrés en Angleterre comme les amis que j'avais laissés pour un temps, ne cherchaient plus tellement l'aventure, en fait nous cherchions la vraie, l'authentique, celle qui tracerait le chemin de notre vie pour les décennies à venir. Nous cherchions avant tout à construire quelque chose. Il était plus que temps.

Du moins était-ce le cas pour les autres quadragénaires. Moi, je ne sais pas… Je ne crois pas que j'avais cette conscience, ou cette croyance, qu'il était possible de bâtir dans le domaine du sentiment, surtout en dehors du désir d'avoir des enfants, de fonder une vraie famille – et je n'avais toujours pas le désir de fonder une famille.

Quarante ans

Nous avons eu quarante ans la même année, Marco, Giovanni, Manuela et moi, et d'autres Italiens qui vivaient à Londres en ces années d'abondance où l'insouciance était encore de mise. Où l'écologie semblait être un terrain d'avant-garde, réservé aux spécialistes de Greenpeace et aux artistes engagés, et où le grand goéland Jonathan Livingston de la décennie précédente ne s'étranglait pas encore dans les enchevêtrements de plastique flottant sur les océans. Il y avait eu plus grave sur l'océan Atlantique, et la guerre des Malouines, entre autres hauts faits de la Dame de fer, agitait les esprits à cause d'un reportage qui venait de sortir, dévoilant des images que l'armée britannique avait censurées. Tchernobyl inquiétait toujours, même en Europe de l'Ouest; pour ma part, j'y pensais encore, une année après l'explosion, mais on buvait quand même l'eau du robinet. Plus tard, comme le reste du monde, nous resterions incrédules devant notre petit écran, à suivre les blindés aveugles et meurtriers de la place Tian'anmen. Et à la fin de l'année 1989, il y aurait l'incroyable chute du mur de Berlin.

Le monde était en marche, et moi, j'avais l'impression d'être arrêtée. Je me souviens que le lendemain de « l'Homme du tank », Marco et moi partions pour les îles Canaries et que toute cette histoire nous avait coupé l'envie du voyage. Ça m'avait aussi laissée songeuse quant à la pertinence de mon choix de vie. Il ne fallait pas s'y tromper : je ne servais à rien et ne produisais rien.

Étais-je à ma place là-bas? N'étais-je qu'une voyageuse en transit? Au lieu de me sentir en mode « construction d'avenir », j'avais l'impression d'être en train de retarder les travaux en vue dudit avenir. Sourdement, n'osant me l'avouer. Il était clair que je ne pourrais pas jouer en anglais, j'avais beau essayer auprès d'un excellent coach, je n'arrivais pas à perdre mon accent ; au mieux, je serais donc condamnée aux petits rôles de Françaises en exil. J'étais prise au piège.

Si je voulais continuer d'avoir un métier et d'être active comme tout le monde – j'enviais tellement ces gens que je voyais passer chaque matin sous mes fenêtres de Sloane Street, en route vers leur travail ! –, il allait me falloir redescendre sur terre, rentrer chez moi.

« Chez moi », ça aurait dû être auprès de l'homme aimé. La désillusion fut graduelle, mais assez forte de son côté ; ne me sentant pas tout à fait *on his side*, se sentant délaissé, il s'est mis à se réfugier dans les bars et à fréquenter des inconnues, cherchant à me retenir en me rendant jalouse. Pour la jalousie, ça fonctionnait, mais pour ce qui était de me retenir, il fut obligé de constater que sur le plan affectif, son projet d'avenir s'éventait, que notre bateau prenait l'eau et qu'en fait, j'étais en train de le trahir. Un de ses confrères l'avait pourtant prévenu l'année de notre rencontre : une comédienne, c'est dangereux…

Je suis revenue à Montréal pour participer à une nouvelle série de la figure de proue, *Le signe de feu*, la dernière de la trilogie. Ça ne se refusait pas : affirmer la juste place de la femme de quarante ans dans la société…

Mon amoureux a choisi de rentrer à New York, où il a éventuellement rencontré celle qui enfin serait « de son bord » à part entière, celle qu'il épouserait et qui pourrait plus facilement changer de lieu de travail pour le suivre. À chacun son destin.

Cet homme qui a voulu construire sa vie avec moi, je l'aimais profondément. Mais je ne m'estimais pas assez forte pour quitter mon métier, me détacher de mon ancrage : être comédienne, c'était en réalité la seule chose à laquelle je pouvais vraiment m'identifier, et apparemment, je n'avais pas suffisamment foi en l'amour pour croire qu'une vie heureuse à deux serait possible dans la durée.

Je ne songeais qu'à protéger mon autonomie, alors même que j'étais devenue complètement dépendante, sur le plan matériel, de l'homme que j'avais choisi de suivre : un anachronisme, une flagrante contradiction chez quelqu'un qui avait vécu mai 1968, Eastman 1975...

Maintenant encore, nous échangeons des vœux et des cadeaux de Noël et d'anniversaire. Nous sommes devenus le frère et la sœur dont nous avions besoin. Il me parle de sa nouvelle vie de retraité, me dit qu'il a été touché par la grâce, qu'il est redevenu pratiquant. Avec tout le respect et toute la tendresse que j'ai pour lui, je ne peux m'empêcher de voir dans la religion une certaine forme d'arrimage à quelque chose d'illusoire. Mais est-ce que je ne me nourris pas, moi, de l'illusion que l'art transcende tout, qu'il est la plus belle bouée de sauvetage qu'on puisse imaginer ?

Parfois, quand l'art s'éloigne et que mon métier me boude, je me demande si je n'envie pas à mon ancien compagnon un arrimage aussi indiscutable et immuable que sa foi... Aussi, ai-je été étonnée récemment de l'entendre me dire au téléphone que la foi, il fallait l'entretenir. Comme, en quelque sorte, l'amour au long cours, l'amour de ceux qui vieillissent ensemble, pensai-je.

Tout récemment, en guise de cadeau d'anniversaire, il m'a fait parvenir une élégante affiche dessinée par une graphiste, comportant tous les titres qu'il a pu rassembler des productions auxquelles j'ai participé. Ce geste m'a profondément touchée et me parle avec éloquence du regard qu'il porte sur notre passé. Comment a-t-il eu cette idée, lui qui vit à des milliers de kilomètres d'ici ?

Conception et graphisme : Mosa Tanksley

« What does she want ? »

Je suis revenue de Londres enrichie de toutes les merveilles que j'y avais vues au théâtre. Jonathan Pryce, Vanessa Redgrave, Michael Gambon, Frances de la Tour, Alan Bates, Fiona Shaw, pour ne nommer qu'eux, m'avaient nourrie, éblouie... Ce sont les pièces de Shakespeare surtout, mais aussi de Tchekhov, de Strindberg et d'Ibsen dans lesquelles j'ai vu jouer ces acteurs qui me laissent les souvenirs de théâtre les plus vivaces de cette période de la fin des années 1980.

« J'aime, voilà ma peine », dit la princesse de Barcelone dans *Le prince travesti* de Marivaux. Peu après mon retour, Claude Poissant m'avait offert mon premier vrai rôle de princesse de répertoire, et c'est lui aussi qui me proposera, quelques années plus tard, la terrible Roxane dans *Bajazet*, de Racine, mon premier (grand) rôle en alexandrins. Deux princesses aux amours malheureuses. Il n'y avait pas d'escalier en colimaçon dans les décors, et la cruelle Roxane ne mettait pas longtemps à réagir – unité de temps exige ! Il était exaltant de prononcer cet impitoyable « Sortez » qui tuait Bajazet et contenait toute la douleur d'une amoureuse éconduite. La somme de mes tourments amoureux constituait mon trésor, et j'avais enfin l'occasion de jouer ces figures du répertoire dans ma propre langue.

Car il y avait longtemps que je rongeais mon frein, en atelier et en anglais... Je crois bien que c'est à partir de ce moment que je me suis passionnée pour l'alexandrin, qui me paraissait maintenant plus proche de moi que n'importe quelle réplique dans la langue de Shakespeare, fût-elle grandiose.

J'avais été amusée de découvrir à quel point les Anglais et Racine ne semblaient pas faire bon ménage. Du moins, à l'époque où j'étais à Londres, je n'ai eu connaissance que d'une seule production de Racine. Lorsqu'*Andromaque* a été montée, les critiques, exaspérés par les revirements passionnels d'Hermione, s'étaient exclamés : « *What does she want ?* » Il manquait sans doute à la protagoniste le rythme et le souffle poétique des alexandrins, organiquement indissociables du tragique racinien.

Par contre, j'y ai vu une merveilleuse et très ingénieuse production de *L'illusion comique* de Corneille.

Séismes ou l'art d'aimer

Je n'ai pas toujours su aller vers des hommes amis. Et l'amour-passion n'est pas fait pour durer. Tout arrivait, et son contraire : accomplissement, douleur, extase, désespoir... Les tempêtes, voire les tornades amoureuses, de mes jeunes années étaient devenues de dangereux séismes.

J'ai en tête (et au cœur) cette image d'une femme qui, en tombant, se frappe la tête contre l'arête d'une saillie en fer. Plus l'amour avait volé haut, plus lourd était le désespoir, et plus grave l'effondrement. Je savais que ma bonne étoile allait finir par me sortir du néant, que j'allais, comme toujours, me secouer l'âme, me reconstruire. Mais pour avoir trop souvent sombré en des eaux si noires, il m'apparut peu à peu impossible de retrouver ma force d'avant, ce rayonnement que j'avais, cette soif de vivre, en comptant sur l'amour.

Se précisa alors l'idée que cesser de le poursuivre, cesser la quête d'un objet que je ne désirais peut-être pas assez profondément, pourrait m'aider à grandir.

Ce n'était pas faute d'avoir essayé d'apprendre. Mais il semble que je n'avais pas beaucoup progressé depuis l'époque où je lisais *L'art d'aimer*, d'Erich Fromm, où je consultais Louis Pauwels (*L'apprentissage de la sérénité*), fréquentais Rainer Maria Rilke (*Lettres à un jeune poète*) et admirais Simone de Beauvoir (*Le deuxième sexe*) ; depuis Colette, Anaïs Nin et Erica Jong, dont cette idée que « le mariage est traître » (*Le complexe d'Icare*) rejoignait, dans le vif du paradoxe, des phrases comme : « Tout ce qui est aimé vous dépouille » (Colette, *Bella-Vista*) et « Je veux perdre à jamais le sentiment d'être volée » (Anaïs Nin, *Une espionne dans la maison de l'amour*).

Cherchant à baliser la route des amours impossibles, j'avais noté dans mon journal de 1977 :

[...] *il s'agit de savoir quotidiennement où commence et finit l'autre. Savoir dessiner les contours de soi-même pour se garder sauf. Que d'énergie consacrée à se garder intègre ! Reste-t-il du temps pour faire vivre, avancer ce qu'on sauve de l'aliénation ? « Quel incroyable paradoxe ! » avait dit Marie-Lou, lors d'une discussion à propos de cette idée du mariage traître. Ceux qu'on aime menacent toujours de nous éloigner de nous-mêmes. Et pourtant, leur amour nous permet de supporter notre solitude.*

En 1978, j'avais aussi dûment noté : « Que chacun remonte vers son essence. En s'appuyant sur l'amour si amour il y a. Non en s'y dissolvant. » (Louis Pauwels, *L'apprentissage de la sérénité*)

Trente ans plus tard, comme je n'avais toujours pas appris à vivre l'amour sans me perdre en l'autre et comme toute renaissance ne s'opérait qu'une fois bien articulée la rupture, je compris qu'il était temps d'abdiquer. Et d'admettre aussi que je n'avais sans doute jamais eu de talent pour le quotidien à deux.

Il n'y eut rien de triste dans ce revirement, qui ne s'est pas fait du jour au lendemain. J'éprouve au contraire une reconnaissance joyeuse envers la vie, car elle ne m'a nullement privée des délices et des découvertes de l'amour. Seulement de sa constance.

C'est à travers l'amitié que j'aurai vécu sa durée.

Louise, Christiane et Marie-Lou, 1997

Et l'amitié dure

Mes cinquante ans furent célébrés chez Marie-Lou, et ce fut l'un de mes plus beaux anniversaires. Le cadeau de Louise, je le porte encore, dès les premiers jours d'automne, je m'enroule autour du cou la tendresse qu'il évoque toujours.

Quelques mois plus tôt, cette même année 1997, nous avions fait un petit « Pèlerinage aux lieux de [notre] été 75 passé au Théâtre de [La] Marjolaine ». Ainsi nous est dédié l'album de photos rassemblées par Louise, illustrant quelques temps forts de cette douce journée de juillet. Prétexte idéal pour nous revoir, ce pèlerinage fut une fête, une tendre et joyeuse occasion de renouer avec des souvenirs qui nous étaient chers.

Était-ce le lieu qui avait favorisé la magie de notre rencontre en 1975 ou était-ce l'alchimie de notre entente qui avait créé l'enchantement autour de ces lieux ? Nous n'avons jamais cessé par la suite de fréquenter la région, territoire de tant de nos souvenirs communs.

Quel plaisir c'était d'aller voir Marie-Lou, du temps de sa maison dans la région de Sutton, et du temps où Marco quittait Londres pour venir se reposer au Québec et rencontrer ses nouveaux amis ! Maintenant, c'était Louise qui avait son petit ermitage sur les collines d'Eastman. Ce jour de notre sortie de juillet 1997, nous avions terminé l'après-midi dans les eaux du petit lac Magog, chez notre vieil ami commun, Jacques L.

Dix années à l'ombre

Le jardin de mes amitiés était luxuriant, et le métier me laissait bien le temps de l'entretenir. Trop de temps, même... À l'aube de mes cinquante et un ans commença une décennie de presque chômage... On ne me demandait plus nulle part... sauf dans les écoles de théâtre, pour enseigner. Merveilleux territoire pour opérer une reconstruction.

Il a fallu lire, explorer, découvrir, risquer, entraîner, étudier, assumer. Ce fut une période de vaches maigres – les chargés de cours gagnent peu –, mais riche et fertile en acquisitions de l'esprit et du cœur.

Il y a eu, à l'option théâtre de Sainte-Thérèse, des hivers et des printemps glorieux, auprès d'étudiants inspirants et brillants... J'évoque cette école, il y en a eu d'autres... Pourquoi celle-là? Est-ce parce qu'on m'a demandé récemment d'y revenir et que je regrette de n'en avoir pas eu le courage? Je ne me voyais pas tout recommencer, tout reconstruire en des lieux qui évoquent tout de même un important séisme amoureux et la misère affective qui s'en est suivie.

Pas eu le courage. Même avec Ibsen, Strindberg, Musset, Corneille, Racine comme compagnie, Racine surtout, qui auraient pu de nouveau m'émerveiller et étayer ma résistance aux découragements.

Je me souviens particulièrement du petit pavillon un peu à l'écart du bâtiment principal où, en guise de cours de lecture, je guidais des rencontres avec des textes surréalistes et audacieux de poètes français et québécois contemporains.

Dans le ciel de Sainte-Thérèse, je revois les formations d'oiseaux qui remontaient vers le nord, leurs cris exaltant le sentiment de liberté reconquise qui m'envahissait... Et cette énergie qui m'habitait, je la transmettais aux étudiants ; tous ensemble, nous fêtions l'arrivée du printemps en tâchant de dépasser nos limites... Je pouvais crier victoire.

Mais de là à refaire ce trajet maintenant... Peur que ce ne soit pas aussi beau. Que ce soit aussi dur, mais pas aussi beau, parce que cette fois, il ne s'agit pas de me reconquérir après avoir tout donné à un homme. Il s'agit du désir de tout donner à un métier qui ne veut plus de moi, il s'agit de la perspective de la fin des choses.

Qu'ai-je à lui offrir, au métier ?

Je me reproche une attente vaine, consumée par le désir de travailler, d'être encore désirée, menacée par une désespérance qui encrasse mes mécanismes de défense et me fait perdre de vue mes idéaux. Je n'ai plus les moyens de mes idéaux. Mon amie B. me dit que je dois tout accepter, elle conçoit mal qu'on puisse vivre dans la précarité par attachement à des idéaux.

— Tu inspires... il se dégage de toi une sorte de sévérité, d'intransigeance... Ce n'est pas ce qu'un producteur recherche, tu le sais bien !

— Non, je ne sais plus rien. À un moment, ça a dévié, ça m'a échappé...

— Quoi, ça ?

— Le bonheur, une sorte d'inconscience ! Ou d'innocence.

Quels idéaux ?

La première rencontre avait été déterminante. Assise avec les autres comédiens autour de la table de la première lecture de la pièce *Roberto Zucco* (Bernard-Marie Koltès), j'avais vécu une sorte de coup de foudre professionnel. Tout ce que disait le metteur en scène Denis Marleau venait clarifier ce en quoi je croyais. Il privilégiait la simplicité et l'authenticité de l'expression, tout en cherchant à mettre en valeur les rythmes et la poésie sonore du texte.

Il avait fait appel à un plasticien pour la scénographie, le sculpteur Michel Goulet, et à un compositeur de musique contemporaine, Denis Gougeon, pour l'accompagnement musical.

C'était le premier texte entier qu'il montait. Son récent terrain de jeu et de recherche avait été l'avant-garde européenne. Il avait exploré à fond cette période artistique (le mouvement dada et le surréalisme surtout) et porté à la scène, entre autres, des textes de Picasso, Kurt Schwitters, Tristan Tzara, Alfred Jarry. Je n'avais vu alors qu'un seul de ses spectacles-collages : *Ubu Cycle*.

Alfred Jarry ne m'était pas tout à fait inconnu, puisque j'avais commencé ma carrière dans le costume en carton-pâte de la Mère Ubu, sous la direction de Jean-Pierre Ronfard, avec les Jeunes Comédiens du Théâtre du Nouveau Monde.

L'avant-garde artistique européenne ne m'était pas totalement inconnue non plus ; j'avais l'impression de l'avoir un peu fréquentée, avec ma mère, qui m'avait transmis sa fascination pour les peintres et les musiciens du début du XXe siècle. Mais ensuite, il ne m'avait pas été donné de croiser l'héritage de ces artistes dans l'exercice de mon métier.

Par ses choix de répertoire, Denis Marleau avançait en dehors des sentiers battus et à contre-courant de la mode inhérente au réveil nationaliste de la culture québécoise, qui valorisait avant tout ce qui venait d'ici afin que puisse se construire un véritable répertoire bien à nous.

Nous avions besoin, c'était indéniable, de continuer à affirmer notre identité culturelle et de poursuivre le mouvement solidement amorcé par les grands chansonniers, que nous aimions et respections comme les prophètes de notre devenir. Mais je me sentais un peu prisonnière du repli culturel que cela représentait. L'état d'esprit qui consistait à écarter ce qui n'était pas *fait chez nous* au pays du Québec, cette forme de révolte anticolonialiste qui voulait fermer les frontières théâtrales en repoussant les auteurs étrangers, me donnait d'autant plus envie de partir et d'aller voir ailleurs. Générateur de grandes forces créatrices, ce repli allait durer le temps qu'il fallait, le temps d'une sorte d'adolescence culturelle, maintenant derrière nous.

Au cours de ma trentaine, j'ai donc fait quelques échappées et vu outre-mer de belles et inspirantes performances. Ainsi, je n'oublierai jamais la double impression de liberté et de virtuosité que m'avait laissée Franca Rame jouant Dario Fo ; je me rappelle le désir que son spectacle avait déclenché chez moi, désir aussitôt balayé sous les limites de la conscience tellement suivre son exemple me paraissait hors de portée.

Je me rendais compte, au fil de mes voyages, que dans mon pays, l'effervescence qui régnait sur les scènes – et sur les plateaux de tournage – portait ses fruits. Au terme de mon deuxième ou troisième séjour en France, je commençais à être vraiment fière de ce qui se faisait chez moi ; et si je désirais encore partir, il ne s'agissait plus seulement d'aller m'inspirer, il s'agissait aussi d'échanger, de diffuser ce que nous avions à offrir au reste du monde. Je rêvais de vivre une partie de mon métier ailleurs ; je rêvais de ce que j'ai fini par faire à partir de l'an 2000 avec Ubu Théâtre, la compagnie de création de Denis Marleau : jouer sur des scènes étrangères.

Le travail de Denis Marleau m'avait ouvert une perspective nouvelle. J'avais rencontré un homme de théâtre qui, en cultivant les interactions entre les arts, conjuguait des attirances artistiques et des activités professionnelles qui me semblaient auparavant s'exclure les unes des autres. L'aspect « art total » de sa démarche théâtrale m'exaltait.

Le soir de la dernière de *Roberto Zucco*, en novembre 1993, je n'ai pu m'empêcher de rêver à ce qu'avait pu être la dernière d'un spectacle comme *Parade* en 1917 au Chatelet, à Paris. Dans les toiles peintes et les costumes de Picasso, avec la musique de Satie, sur un livret de Cocteau… Et je me suis rappelé cette merveilleuse production de la *Nuit des Rois*, montée par Jean-Louis Roux, en 1968, sur la scène du Théâtre Port-Royal, dans les toiles peintes et les costumes d'Alfred Pellan…

En compagnie des artistes et des acteurs de la production, j'ai fêté tard dans la nuit de cette presque fin de siècle avec l'impression d'avoir vécu, à travers le personnage de la Dame élégante, quelque chose d'important.

La fusée (rêve de la)

Le prix à payer pour « me dépasser », aller au-delà de tout ce que j'avais fait jusque-là, était aussi lourd que la peur était violente avant les spectacles. Je me rappelle le rêve de la fusée, juste avant les générales du premier spectacle en (presque) solo – mon premier à vie – écrit pour moi par Normand Chaurette et dirigé par Denis Marleau. J'avais toujours été vulnérable au trac dans l'exercice de mon métier. Mais cette fois, quel traumatisme, quelle torture ai-je pu m'infliger dans ce rêve qui préfigurait la peur que j'allais affronter! Debout, propulsée dans une fusée qui me gainait le corps comme un étroit sarcophage, la face contre la vitre du hublot... Oh, la terrible claustrophobie! Dans cette fusée à peine plus grande que moi, les yeux grands ouverts sur l'inconnu, je fonçais à une vitesse vertigineuse vers les confins de l'atmosphère terrestre... Un trac intégral, spatio-temporel!

Christiane dans *Ce qui meurt en dernier*
© Marlène Gélineau Payette

Ce spectacle, c'était *Ce qui meurt en dernier*. Normand avait imaginé de faire revivre le personnage de la comtesse Geschwitz que j'avais joué dans la *Lulu* de Wedekind, montée par Denis M. en 1996. Il y eut ensuite *Le complexe de Thénardier*, une guerre de pouvoir imaginée par l'auteur José Pliya, et il y eut *Une fête pour Boris* (Thomas Bernhard), où, pour la première fois de ma vie, j'ai goûté à quelque chose comme un

Christiane dans *Une fête pour Boris*
© Stéphanie Jasmin

Christiane dans *Les Reines*
© Mathieu Girard

triomphe sur mes peurs vertigineuses ; je n'oublierai jamais cette première à Avignon, où la (mauvaise) Bonne Dame cul-de-jatte que j'incarnais a sauté de son siège (truqué) sur ses deux jambes pour accueillir les applaudissements d'un public enthousiaste. Les publics des festivals peuvent être particulièrement chaleureux, surtout les soirs de première.

Et s'il y a un spectacle où le plaisir l'a emporté sur le trac, c'est cette production des *Reines*, une autre pièce de Normand Chaurette, montée par Denis M. en 2005. Quel bonheur que cette Élisabeth Woodville ! Je donnerais cher pour revivre un tel plaisir sur scène. Car en général, une fois terminées les répétitions, c'est *après* l'accomplissement que vient la joie, rarement pendant la représentation.

Le cheval

Je me suis souvent demandé pourquoi je tenais à jouer au théâtre quand il me fallait pour cela surmonter tant de peur. Les démons du trac ont rarement cessé de me tarauder, devenant au contraire de plus en plus présents au fil du temps. Je ne sais pas non plus pourquoi je tenais à monter à cheval... Peut-être pour réussir à mettre la bride au moins à cette peur-là... dans l'espoir que ça m'aiderait à dompter l'autre...

C'est pendant une période un peu creuse que j'ai décidé de monter de nouveau, des années après l'accident de 1975. Je n'ai jamais été tout à fait à l'aise à cheval, d'autant que j'ai rarement eu la chance de monter régulièrement le même animal. La difficulté était d'imposer fermement ma volonté à la bête, qui m'intimidait autant qu'elle me charmait. Il y avait toujours une part d'inconnu : saurais-je lui imposer le respect ? C'était exaltant de galoper ou de sauter des obstacles, de me faire obéir sans brusquer la bête, de faire un avec elle, avec sa force. Le sentiment de puissance était fugitif, mais combien gratifiante était cette sensation de contrôle de soi. Je pensais que le mélange d'abandon et de contrôle qu'exigeait la performance équestre ressemblait étroitement à ce qu'implique le jeu de l'acteur. Mais finalement, au bout de quelques chutes, j'ai décidé d'abandonner avant de me casser de nouveau les os.

La voiture noire

Le soir même de l'accident de cheval de mai 1975, je m'étais laissée envoûter au cinéma, je l'ai dit plus haut, par un personnage mystérieux, éloquent de silences lancinants. J'ai souvent rêvé depuis d'un bel homme enfermé dans une voiture noire des années 1940, attendant je ne sais quoi, se dissimulant à je ne sais qui, un très bel homme, au feutre mou enfoncé sur les yeux. J'ai cru longtemps que j'étais restée accrochée à l'image d'un acteur dans un bon film de mafieux italiens, jusqu'à ce que je me rende compte que c'était mon père qui était assis sur la banquette arrière de la somptueuse voiture noire des années 1940. C'était mon père, dont les silences avaient été inscrits sous cette apparence dans la mythologie intime de mes rêves.

C'est en revisitant de vieux albums de famille que j'ai fait cette découverte et reconnu l'analogie. En revoyant des photographies de voitures que son père à lui avait possédées au début des années 1940. Sur certaines de ces photos, la voiture est presque un personnage.

La voiture noire

Le vide – Juin 2018

Parler de lui à la troisième personne me semble étrange, car je le sens encore tout près de moi, ici. C'est en mai de l'an dernier qu'il est parti. Je m'étais dit : « Si je lui survis, il faudra que ça veuille dire quelque chose. Il faudra faire quelque chose qui vaille la peine. »

Le vide qu'il a laissé est inconcevable. Maintenant, je peux vraiment parler de vide et de vertige.

J'ai eu un père. Mais pendant trois ans, les trois dernières années de sa vie, j'ai eu un papa, un ami, un confident. Comme si la douleur d'avoir perdu ma mère avait ouvert la porte à sa tendresse. Le reste du temps de nos vies, ça ne nous était pas venu d'être présents l'un à l'autre. Ce n'est qu'à travers la musique que je le rejoignais, sur les cimes enneigées de la deuxième symphonie de Sibelius que mon père écoutait, à puissant volume. Sous l'impact sonore, le plafond de la petite maison de Sainte-Foy s'ouvrait sur des espaces illimités, j'imaginais des montagnes aux sommets escarpés, des vallées inaccessibles mais où, par la musique, on pouvait voyager. Je lui parlais des paysages grandioses que je voyais, pour m'assurer du partage, pour vérifier que c'était bien ensemble que nous voyagions.

Deux ou trois choses m'ont étonnée de lui : qu'il me reproche ma complaisance face aux avances du (séduisant) fils de l'épicier quand j'avais treize ans, qu'il me dise qu'il était plus que temps que je lise *Le Grand Meaulnes* quand j'ai eu vingt ans. Je le croyais indifférent à tout ce que je regardais ou ne regardais pas, à tout ce qu'il m'arrivait ou ne m'arrivait pas. Et j'ai été bouleversée de voir qu'il avait conservé ce poème qu'adolescente, j'avais écrit pour lui. Intitulé *Nostalgie*, ce poème évoquait la fin de nos étés au bord du fleuve. Je l'ai retrouvé parmi ses papiers, dans le tiroir de ses correspondances.

Maintenant, je sais qu'il ralentirait volontiers ses grands pas pressés dans la nuit froide des Noëls de quand j'étais petite. Et qu'ainsi, je n'aurais plus besoin de courir pour avancer à son côté ou pour le rattraper.

Apprendre l'amour, ce n'est jamais fini, chuchote son absence.

La vie, l'amour, le métier – Septembre 2018

J'entrevois… il se pourrait que ça veuille dire quelque chose de rester.

Professionnellement, l'espoir renaît. Moi qui ne voulais plus du théâtre, voilà que lui, le théâtre, veut bien de moi, encore. Au diable le harcèlement de la peur, au diable la fatigue. Si le théâtre me reprend, j'y vais. Je dirai tout à mon père, je lui raconterai mes peurs, et il m'aidera, moi, sa vieille enfant.

Sérieusement, ça me soulage d'être vieille! Je puis tomber librement amoureuse de mes metteurs et metteures en scène, de mes réalisateurs et réalisatrices, de mes camarades de travail, ça ne gêne personne.

Ces derniers mois, le métier m'a offert des cadeaux dont je n'osais plus rêver: des tournages pour le cinéma. Il y avait eu la lumineuse Line de *La Partie* (2015) et voilà que je passais du court au long métrage avec Ève (*Cash Nexus*) et Marguerite (*Jouliks*).

Une Ève douce et mystérieuse et une Marguerite impétueuse et maladroite, tout le contraire de la personnalité si conciliante de ma petite tante Marguerite décédée bien après sa mémoire, un jour d'automne pas comme les autres, celui de mon anniversaire.

Le jour des funérailles d'Albert Millaire – c'était dans le même cimetière –, je suis allée saluer Marguerite et déposer sur sa tombe des fleurs dont elle porte le nom, ne serait-ce que pour signaler sa présence : ici, repose une femme qui s'appelait Marguerite ! Marguerite la discrète. Marguerite qui a donné tellement d'amour, sans rien attendre en retour.

Je venais d'assister à la cérémonie autour du souvenir d'Albert, contente de retrouver mes compagnes, malgré la tristesse de cet adieu à celui qui nous avait réunies, Louise, Marie-Lou, Loulou Lussier et moi, en cet été de 1975. Savait-il le bonheur qu'il nous avait donné l'occasion de vivre ? Tout cela était loin, maintenant, lové au creux du passé de nos tendresses et de nos amitiés.

Mais écrire une suite à Eastman 1975, remonter le fil du temps dans les entrelacements de ce que « la vie, l'amour et le métier » nous avaient réservé, entreprendre ces retrouvailles avec celles que nous avions été, n'était-ce pas une façon de célébrer la vie dans ses multiples transformations ?

Merci, Louise, de nous avoir entraînées à ta suite, pour faire avec toi ce voyage. Et quelle bonne idée tu as eue, Marie-Lou, d'apporter ton journal ce beau 23 août 2016 ! Il y avait dans ce geste un écho des petits rituels de notre cohabitation de jadis...

Ces trèfles à quatre feuilles – Octobre 2018

Ces trèfles à quatre feuilles ont été cueillis à Eastman par l'ami Robert Lalonde à la fin de l'été 1975. Je les ai retrouvés dans une enveloppe soigneusement rangée au fond d'une valise de souvenirs précieux. Quel joli cadeau il m'avait fait ! Mais comment avait-il pu en trouver autant le même jour ? Je n'ai pour ma part jamais pu repérer un trèfle à quatre feuilles.

L'ami Robert, qui sait si bien dans ses écrits nommer tout ce qui vit, croît, crie, vole, guette, vibre, chante, chuinte et luit dans la nature, m'a donné le goût d'apprendre le nom des fleurs et des plantes sauvages. Les tirer de leur anonymat me les rend plus proches, plus intimes. Il m'arrive même de me reconnaître dans l'accablement d'une grappe de smilacine chargée de petits fruits, dans la découpure en colère d'une feuille d'anémone, dans la douceur d'un pétale d'églantine, dans la rugosité d'une tige de galéopside...

Leurs variétés sont si nombreuses que je n'arrive pas à distinguer tous les asters qui fleurissent partout en ce moment. D'une beauté discrète, on peut ne pas les remarquer, sauf ceux dits « de Nouvelle-Angleterre », dont les fleurs d'un mauve somptueux attirent le regard.

Et jusqu'à récemment, je n'avais pas remarqué que les délicats mélilots blancs vivaient si tard en automne, diffusant discrètement jusque dans l'air frais d'octobre leur parfum si tendre qu'il évoque ce qu'il y a de plus beau et de plus fragile en chacun de nous. Ils me font renouer avec l'enfance, avec cet état d'émerveillement de qui voit tout pour la première fois.

La beauté du monde est un privilège inouï. Quand il m'arrivait de lever les yeux vers le ciel, enfant, et de me demander d'où je venais, d'où nous venions tous, je ne me doutais pas qu'un jour je me poserais la même question en regardant (presque amoureusement) vers la terre. Et si je n'ai toujours pas de réponse, du moins cette fusion admirative avec la beauté de la nature, cet état de reconnaissance, adoucit la solitude d'une endeuillée.

MARIE-LOU

EN QUÊTE D'AMOUR ET DE LIBERTÉ

Eastman, 1975

Un été inoubliable, intense, rempli à ras bord, un été d'abondance. Un été ensoleillé qui brille comme un diamant parmi mes souvenirs : l'été de La Marjolaine, l'été de l'Oasis. Aucun désert autour de ce havre, loin de là, juste la chaleur et la lumière qui irradiaient partout. Sur la scène de *Madeleine de Verchères*, dans nos cœurs enamourés, entre nos draps de femmes libres et célébrant la vie, autour de notre table où mes amies et moi partagions tant nos repas que nos pages d'écriture, à l'intérieur de ce cocon triangulaire aussi sécurisant que stimulant.

Le chiffre trois couronne pour moi cet été : c'était ma troisième comédie musicale sur scène (après *Hair*, mon premier contrat professionnel, et *La coupe stainless*, de Jean Barbeau) ;

j'y ai connu trois amours successives ; et surtout, nous étions trois à vivre ensemble à l'Oasis, notre nid, qui portait si bien son nom, à la fois refuge, source et berceau. Refuge pour notre trio aussi bien que pour tous nos visiteurs, attirés comme par un aimant par les Trois Grâces et par les vibrations du lieu. Source d'inspiration et d'énergie par sa tranquillité et par son environnement enchanteur : niché à l'orée d'un boisé de conifères habités par de nombreux passereaux, l'humble chalet bordé d'un ruisseau reposait sur un tout petit terrain couvert de fleurs sauvages ; et tout près, juste au bas de la côte, miroitait le lac d'Argent. Enfin, berceau de nos précieuses amitiés qui se sont scellées dans cette proximité et qui durent toujours, plus de quarante ans plus tard.

J'y ai admiré l'aube presque tous les jours, avant d'aller au lit. À la fin de ma journée de noctambule, c'était chaque fois un moment privilégié de contemplation et de gratitude qui nourrissait profondément l'état de grâce dans lequel je baignai tout au long de cet été-là. Dans mon journal d'Eastman, commencé le 21 juin 1975, je témoigne souvent de ces moments de communion avec la Nature, avec la Beauté :

Il est près de cinq heures, je présume. J'arrive de dehors, où naît derrière les montagnes une aube rose que le lac bénit d'une brume joignant presque la ligne dessinée par les monts pourpres à l'horizon. L'air humide est plein d'arômes de pin, de trèfle et d'herbes odorantes que je ne saurais identifier. En remontant la côte, la réconfortante odeur du feu de foyer m'a accueillie. Que c'est bon de revenir chez soi et d'être surprise au détour de la dernière courbe par cette senteur de bois qui brûle dans l'âtre, qu'on a soi-même alimenté, et de voir la fumée qui s'élève de la cheminée ; quel accueil, oui ! La lune est toujours là. Depuis sa plénitude, il y a deux semaines, je l'aurai vue tous les jours décroître doucement jusqu'à ce mince croissant de lumière qui brille en ce moment dans la zone mauve du ciel de ce matin.

Ma quatrième aube. Je n'ai pu résister ni à la couleur du ciel ni aux chants des oiseaux. Je suis descendue jusqu'à ce point de la côte d'où l'on peut voir le lac et j'ai vu, j'ai entendu, j'ai humé.

[...]

Encore une aube, et me voici à nouveau attentive à la naissance du jour, aux secrets multiples qui se révèlent l'un après l'autre en sortant des ténèbres, de la brume, du silence. Un oiseau vient timidement explorer le bord de la rive, un poisson de temps à autre perce le miroir de l'onde et me suspend à la magie, au miracle du réveil des choses.

Prier, oui. Je n'ai pas pu écrire de toute la journée d'hier, tellement je ne pouvais que me taire et remercier dans le temple du silence et du sourire. Je suis couchée ventre contre terre, comme une carmélite en chapelle. Son dôme est le ciel bleu et rose du matin, son sanctuaire, le lac, son autel, la montagne, et sa lampe s'allume juste derrière. Je fais vœu de souvenance et d'amour; je fais vœu de donner, de laisser couler hors de moi tout ce qui me vient de Tout, d'ouvrir les mains et de ne plus les refermer. Le miroir frissonne, et les herbes commencent à bouger imperceptiblement. Je ne peux plus quitter la terre pour l'espace du sommeil sans avoir admiré l'aube; je ne peux plus me soustraire à cette beauté-là.

État de grâce, état béni, entrecoupé de quelques jours d'angoisse et de larmes jaillies de mes déboires amoureux; les montagnes russes propres à cet âge, quoi!

Qu'il est difficile d'aimer...

... comme l'a si bien chanté Vigneault ! Comme l'a si bien dit Rilke aussi dans ses *Lettres à un jeune poète* :

« Il est bon aussi d'aimer ; car l'amour est difficile. L'amour d'un être humain pour un autre, c'est peut-être l'épreuve la plus difficile pour chacun de nous, c'est le plus haut témoignage de nous-mêmes ; l'œuvre suprême dont toutes les autres ne sont que les préparations. »

Cette difficulté d'aimer hante nos pages à toutes les trois. Et l'écriture vient à notre rescousse pour tenter de démêler les fils enchevêtrés dans ce qui, longtemps, ne sera pour chacune d'entre nous qu'un interminable labyrinthe.

En relisant aujourd'hui mes journaux intimes, celui de l'année 1975 et ceux qui ont suivi (une quarantaine de cahiers au fil des ans), je me rends compte qu'il y a toujours eu chez moi cette dualité entre le désir de fusion, la quête de l'âme sœur, d'une part, et le besoin de liberté, d'indépendance, d'autonomie d'autre part. Deux pulsions longtemps aussi impérieuses l'une que l'autre et forcément vouées tout ce temps à se heurter l'une à l'autre. Sans compter cet appétit de tout vivre, de tout connaître, qui alimentait tant mon désir de fusion que mon besoin de liberté.

Je pars encore une fois, je reboucle mes bagages de bohémienne pour aller rejoindre le cirque qui m'attend, mon clan, mon campement de saltimbanques. J'apprends chaque jour un peu plus que nous sommes une race à part, des hors-la-loi, des sans-foyer, des voyageurs. J'apprends chaque jour un peu plus qu'on ne choisit pas de devenir comédien, on l'est ! Dans le cœur et dans le sang, comme on est Autochtone, noir, femme ou mystique.

Il est exaltant, ce vent de liberté, ce pays sans frontière. Elle est exaltante, cette citoyenneté sans limites de temps ni d'espace, cette seule appartenance à l'immédiat toujours renouvelé, au « partout, tout le temps ». Mais vertigineuse aussi, cette immensité devant soi, vertigineux, cet élan qui pousse toujours à aller plus loin, plus avant, sans jamais pouvoir s'arrêter vraiment, collé au mouvement de la Vie qui ne cesse de bouger. Une spirale sans fin, avec pour seules attaches celles du cœur qui nous guide, pour seule force l'amour, l'unique force qui nous colle à la Vie.

Même échappée depuis longtemps maintenant du campement des saltimbanques, encore aujourd'hui, je ferais mon credo de cette ode au vent de la liberté !

Mais à cet âge, j'étais aussi une folle amoureuse, toujours entière et exaltée dans ses amours. Ouf, quelle ardeur ! Une ferveur quasi mystique… Bien que je demeure d'un tempérament assez ardent en toute chose, elle me paraît bien loin, la jeune femme que j'étais alors. Les flammes et les feux d'artifice d'autrefois ont peu à peu fait place à la braise. Et c'est tant mieux. Je ne voudrais certainement pas revivre aujourd'hui les tumultes qui, tout au long de ma vingtaine, agitaient mon cœur et ma tête – et mon corps, donc ! Au cours de ces années, que de rencontres, d'aventures d'un soir et de liaisons plus ou moins brèves, entrecoupées de quelques rares relations un peu plus durables ! J'ai chevauché tant de montures, exploré tant de contrées, contemplé tant de paysages intérieurs, cherché à travers tant de regards, toujours en quête de l'âme sœur… Ô dieux, que d'émotions !

La trentaine, merci la vie, fut plus stable. C'est en effet à l'orée de mes trente ans que je rencontrai le Samouraï, mon allié, l'homme de ma vie pendant plus de vingt ans, devenu aujourd'hui mon meilleur ami. Une relation profonde, bien enracinée, qui se poursuivra tout au long de ma quarantaine, mais dont les liens de codépendance affective éclateront après vingt et un ans de vie de couple. Le début de ma cinquantaine me fut par conséquent bien pénible. Un vertigineux saut dans le vide... Une petite mort... Mais qui dit mort, dit renaissance. Ainsi que mon Samouraï en fera le constat près d'un an après notre séparation : « Tu sais, Marie-Lou, ce que je pense ? C'est qu'au fond, nous nous sommes libérés l'un de l'autre. »

L'orée de ma cinquantaine marque donc le début de ma véritable autonomie. Enfin, presque... Parce qu'un autre amour, un amour fou, fulgurant, magnifique et violent, viendra brouiller toutes les cartes. Mon plus grand amour. À cinquante-quatre ans ! Un amour qui m'ouvrira les portes du Paradis. Mais qui me plongera deux ans plus tard au plus profond de l'enfer. Mon plus grand amour ? Ma plus grande passion, devrais-je dire.

Et au bout du compte, ma plus grande peine d'amour, la pire épreuve émotionnelle de toute ma vie, la plus grande blessure, dont je mis bien des années à guérir. Il fallut défaire et reconstruire. Ce fut un long et difficile, mais infiniment salutaire travail sur soi qui eut l'heur, entre autres, d'éradiquer à jamais en moi tout désir de fusion.

Alors, arrivée à soixante ans, enfin ni paradis ni enfer : les deux pieds sur terre et un bonheur reposant entièrement sur mes propres épaules. Les joies de la maturité ! À partir de ce moment, j'ai vraiment pu faire miennes ces paroles de Colette : « Je vais enfin pouvoir vivre sans que ma vie ni ma mort ne dépendent d'un amour. »

La passion amoureuse avait aussi nourri chez moi un insatiable besoin d'exaltation qui m'a bien longtemps habitée. Aujourd'hui, la simple joie de vivre se suffit à elle-même. Par ailleurs, c'est fort probablement parce que j'ai vécu toutes mes amours avec tant d'ardeur, toujours entière, que mon âme en est remplie et que j'en suis aujourd'hui rassasiée. Me voici enfin libérée du désir de fusion ! Et du désir tout court aussi, mon intense libido finalement au repos. Il aura fallu qu'elle finisse par se taire pour que je me rende compte combien son appétit exacerbé avait lui aussi trop souvent mené le cours de ma vie. Son silence aujourd'hui m'est une bénédiction. Paix, serpent, paix ! Dors tranquille et laisse-moi savourer la paix des sens, aussi bien que celles du cœur et de l'esprit.

Un accès de pudeur

Louise avait bien raison de dire que plonger dans cette aventure à laquelle elle nous a conviées, Christiane et moi, celle d'écrire le récit de nos vies, de nos vingt ans à aujourd'hui, allait sans doute nous amener à affronter nos peurs, nos limites, à dépasser notre pudeur. À bien davantage, même ! L'exercice, en fait, m'oblige à revoir toute ma vie. Et la pudeur me gagne ce matin… Je ne sais plus si j'ai envie de me dévoiler ainsi aux yeux de gens que je ne connais pas et qui pourraient recevoir sans bienveillance ces confidences. J'ai l'impression que je vais livrer mon âme en pâture à la foule, cette foule anonyme qui peut facilement devenir cruelle, les réseaux sociaux en font foi. L'anonymat gomme les scrupules et laisse place au pire de chacun. On s'accorde tous les droits ; sans ménagement, on déverse sa hargne, son mépris, sa méchanceté, en toute impunité, caché derrière ce lâche bouclier.

Je n'ai jamais aimé faire étalage de ma vie privée ; je l'ai toujours jalousement gardée secrète. Du temps où j'étais une actrice relativement connue, alors que je jouais dans *Le Temps d'une paix* (entre 1980 et 1986), je fuyais les journalistes. Je considérais que j'étais déjà suffisamment « affichée » par mes prestations et que le public n'avait pas à savoir ni qui je fréquentais, le jour comme la nuit, ni ce que je mangeais, ni où j'allais en vacances, ni de quoi avait l'air mon intérieur. Combien d'entrevues j'ai refusées ! Combien de fois ai-je dit non à telle ou telle revue de décoration qui voulait faire un reportage photographique sur mon appartement ! Cette curiosité du public envers la vie privée des artistes m'a toujours déplu. Le vedettariat m'a toujours agacée. C'est donc dire que je n'ai pas joué le jeu, et par conséquent, j'ai un peu payé la note, parce que le système se nourrit de cette exhibition quasi obligée. Donnant donnant. Être une vedette est également un atout pour tailler sa place dans ce métier. On vous engage non seulement pour votre talent et votre personnalité, mais aussi pour votre notoriété, cotes d'écoute obligent.

Alors, quoi ? Voici qu'aujourd'hui je me mets à nu ? Mon vieux réflexe ressurgit, et j'ai peur. Je crains qu'en affichant mon intimité, je ne me fasse grignoter, bafouer, salir. Je me sens un peu comme certains Africains qui ont peur qu'en les prenant en photo, on ne leur vole leur âme. C'est précisément pour cette raison que j'ai mis un certain temps à adhérer au projet proposé par Louise et à me joindre à elle et à Christiane.

En contrepartie, je trouvais séduisante l'idée de ce récit à trois voix. Depuis fort longtemps, je me sentais interpellée par l'écriture et je savais bien que tôt ou tard, le moment viendrait pour moi de me mettre à table. Voici que l'occasion m'en était donnée. Comme toujours, la vie semblait ouvrir devant moi, juste au bon moment, le nouveau chemin où m'engager. Avec ce projet bien concret, c'est le sentier de l'écriture qui s'offrait là, droit devant.

Je m'y sentais poussée aussi pour le plaisir d'entreprendre ce voyage avec mes deux si chères amies. Quelle belle occasion de nous retrouver toutes les trois en partageant une autre aventure de création ! Et puis, je ne me voyais pas être la casseuse de *party* en refusant de m'impliquer avec elles. Devant leur enthousiasme, je ne pouvais qu'acquiescer. Au diable, la pudeur ! Plonge, ma fille !

Mais ce matin, ce repli, cette interrogation : peut-on dire les choses honnêtement, tout en se préservant ? Quiconque se met en lumière ne risque-t-il pas l'attaque des ténèbres ? Il faut que le jeu en vaille la chandelle ! Qu'au bout du compte, je sois convaincue que nos récits peuvent faire œuvre utile.

Tout à coup, je repense à *Où en est le miroir ?*[13] ...

N'était-ce pas là toute une expérience de dévoilement de nos intimités respectives ? Et nombre de témoignages nous prouvèrent justement que cette plongée au cœur de nous-mêmes avait rejoint plus de gens que toute autre pièce dans laquelle nous avions pu jouer auparavant. Alors, Marie-Lou ? Allez ! *Coraggio* ![14] Et puis, je dois admettre que j'aime les récits, les mémoires et les biographies, donc moi aussi, j'ai une certaine forme de curiosité pour la vie privée des autres... Hé, hé !... Alors quoi ?... Alors, poursuivons !

---

13   Pièce de théâtre écrite en collaboration avec Louise Portal, produite par le Théâtre de la Manufacture et que nous avons jouée au printemps 1978. Elle fut publiée aux Éditions du remue-ménage l'année suivante.

14   *Courage*, en italien.

Origines – Enfance et adolescence

Je suis née sur la page verte de l'espérance d'être heureux. Je suis née au chaud en plein cœur de l'hiver, née de deux amants que seule la mort a pu séparer, née entre leurs cœurs amoureux et entêtés. J'ai grandi dans leur bonheur d'être deux, dans leur générosité et leur égoïsme, dans leur détermination à toujours être « positifs » , comme ils disaient… J'ai appris d'Elle les bien-faits du silence ; de Lui, j'ai appris la force des mots. J'ai appris à convaincre et j'ai appris à me taire.

J'étais l'aînée, le plus souvent invitée à céder devant tout ce qui pouvait m'opposer à ma cadette. « Sois raisonnable ! » disaient alors mes parents. Très tôt, j'ai appris à raisonner. Je suis devenue raisonnable très jeune.

J'ai aussi appris à chercher en toute chose et en tout être ce qu'il y a de bon. « Rien ni personne n'est jamais complètement mauvais », disaient-ils chaque fois que la révolte, la haine ou le mépris germaient en moi et que j'avais envie de crier « Non ! » en serrant les poings. « Il faut chercher à comprendre », disaient-ils. Comprendre ?… Oui, bien sûr : qui sommes-nous pour juger ?

Je suis née une autre fois, treize ans plus tard, sous la lune, encore au chaud sous la neige, dans le trouble du rythme neuf de mon cœur battant. Ma poitrine naissante déjà soulevée de désir, mes lèvres offertes ont accueilli cette première étreinte, ce premier baiser d'amour, comme, enfant, on reçoit l'eucharistie la première fois. Oh ! Comme il était loin et ridicule, ce grand rouquin qui avait fait battre mon cœur trois ans plus tôt, à l'âge de dix ans, et combien ridicules aussi ces battements alors pourtant si bou-leversants ! C'était bien autre chose maintenant, ces regards, ces gestes, cet échange sur un mode tout nouveau et si différent…

Je l'ai aimé presque cinq ans, mon premier amour – une bien longue relation pour un aussi jeune couple ! Mon Roméo et moi nous sommes aimés à travers les livres, Mozart et Bach au coin du feu, les caresses en cachette ; en bateau, à cheval, dans les îles ; à travers nos lettres, nos longues conversations, nos rêves, nos projets, nos longues marches ; à travers le piano, le hockey, les devoirs, les autobus, les parents, les amis ; sous la pluie, la neige, les ardeurs de l'été, le vent d'automne ; à travers les rires et les larmes.. Tous les émois d'un premier amour et les vertiges des premiers ébats sexuels.

Et puis, un matin, je me suis réveillée à l'aube, je me suis assise dans mon lit, le regard fixe, et je me suis entendue dire à voix haute : « Je ne l'aime plus. » J'étais sidérée, mais c'était inéluctable : quelque chose en moi avait bougé, m'avait tirée par la manche, et je ne pouvais plus, ne voulais plus dire « Oui » pour toujours à cet homme-là sans en avoir connu d'autres.

Il y eut un pacte : au cours du mois suivant, on ne se verrait pas, on ne communiquerait pas l'un avec l'autre ; chacun de son côté irait « voir ailleurs » et puis, on se reverrait au bout de ces trente jours pour se dire si on voulait poursuivre notre relation ou y mettre un terme. Bref, forts de cette expérience, on allait vraiment se choisir, ou sinon, se quitter. Ce qui fut dit fut fait. Et à l'issue de ce mois d'exploration, d'un commun accord, nous nous sommes quittés.

Premiers pas dans la vie d'adulte

À peu près au même moment, je partais vivre en appartement à Québec, loin de mes parents, libre comme l'air, avec pour colocataire une amie très chère aussi aventurière que moi, toutes deux poursuivant nos études musicales à l'École de musique de l'Université Laval, qui logeait alors dans le Vieux-Québec, dans l'ancien séminaire, près de la basilique. Notre appartement était à deux pas de là, rue Saint-Flavien. Mon amie avait dix-huit ans. Moi, pas tout à fait : je les aurais trois mois plus tard.

Avant que je quitte le foyer familial, mon père m'avait prise à part et m'avait dit, les deux mains sur mes épaules, ses beaux yeux bleus droit dans les miens : « Ma fille, à dix-sept ans, avec la tête que tu as, bien plantée sur les épaules comme tu l'as, ta vie, maintenant, ça t'appartient. Alors, si tu fais des bêtises, ne viens pas pleurer dans mon giron ! Je serai toujours prêt à t'aider, mais… Mais ce seront TES bêtises ; c'est toi qui en seras responsable. » Quand on vous dit une chose pareille à cet âge, vous ravalez votre salive et vous comprenez qu'il faudra faire preuve de discernement, quoi qu'il advienne.

De toute façon, c'est ainsi que mes parents m'avaient élevée ; j'étais bien entraînée à réfléchir avant d'agir, à peser le pour et le contre avant toute décision. On m'avait toujours accordé une grande liberté, tout en prenant soin de m'inculquer l'autre moitié de cette paire indissociable : le sens des responsabilités. Je reçus le petit laïus paternel pas tant comme une mise en garde que comme une expression de confiance et j'en éprouvai de la fierté. Je partis donc le cœur léger, enthousiaste à la perspective de cette nouvelle vie qui m'attendait.

Il y avait des années que je rêvais de quitter non pas mes parents que j'adorais, mais cette petite localité où j'avais grandi, que je trouvais si ennuyeuse parce que dépourvue de vie culturelle, tandis que je ne rêvais que de concerts classiques, de théâtre, de danse, d'expositions d'arts visuels. Je jouais du piano depuis l'âge de cinq ans, j'avais pris des cours de danse classique vers huit ou neuf ans et suivi des leçons de dessin, tant à l'école qu'en privé. Sans compter la joie que j'avais éprouvée à jouer dans toutes les « séances » auxquelles j'avais pu participer à l'école. Les arts étaient déjà ma passion. Et Québec m'offrait tout cela, sans même que j'aie besoin de sortir du Quartier latin ! Sans compter la beauté architecturale de cette ville si romantique, les lieux historiques, les restaurants, les bistros et toute la faune estudiantine des deux conservatoires (musique et art dramatique) et de l'École de musique qui s'y retrouvait. J'étais comblée !

C'était la fin des années 1960, en pleine effervescence de la révolution sexuelle, et ni ma colocataire ni moi n'étions en reste. L'appartement de la rue Saint-Flavien recevait de nombreux visiteurs... L'exploration amorcée au cours du pacte avec mon Roméo se poursuivit allègrement. J'ai effectivement connu d'autres partenaires... Beaucoup d'autres !

Je ne sais si la première relation sexuelle est aussi marquante pour tout le monde, si elle détermine à ce point la suite de la vie sexuelle pour chacun, mais ce fut le cas pour moi. Ma toute première relation « complète » avec mon Roméo, alors que j'avais seize ans et lui dix-huit, tenait de l'approche tantrique de la sexualité, telle que la décrivent Christine Lorand et Dominique Vincent dans leur livre *Le couple sur la voie tantrique* :

« Appliqué au couple, le Tantra est une sorte de méditation à deux, qui prend sa source dans l'union des principes féminin et masculin, dont le moteur est l'énergie sexuelle. C'est une invitation à découvrir la dimension sacrée de la relation amoureuse et le moyen de faire vibrer à l'unisson le corps, le cœur et la conscience. »

Toute ma vie sexuelle ne fut pas vécue exactement dans cette approche, mais la dimension spirituelle de la sexualité fut toujours présente pour moi. Même pour une seule nuit avec un amant de passage, j'ai toujours cherché la communion des âmes en même temps que celle des corps.

À cette heure de la sexualité 2.0 où la pornographie est devenue monnaie courante, modèle même pour plusieurs, je ne peux m'empêcher de déplorer que tant de jeunes gens soient amenés à faire leur apprentissage de la sexualité à travers ce prisme déformant qui coupe l'âme du corps. « Il n'y a pas de mal à se faire du bien », diront certains. Oui, bien sûr. « Nous ne sommes pas ceux qui blâmeront les fantaisies de l'éroticité. »[15] Libre à chacun de vivre sa sexualité comme il l'entend. Mais croire que la sexualité se résume à cela, c'est se priver de connaître une expérience plus complète où les émotions éprouvées dans la rencontre du mystère de l'autre viennent multiplier les sensations et faire vibrer l'être tout entier.

Faire l'amour ! Ça se doit d'être plein de rêves et plein d'infini, plein d'enfance et de silence, avec la tendresse qui coule, taciturne, en mots-zyeux, en mots-gestes. Je ne veux pas ta main sans ton regard, même si je sais ton âme fébrile à fleur de peau. Les mains sans visages nous ont tant meurtris ! Je veux tes yeux !

Pendant ces deux ans de baccalauréat en musique à Québec et les deux années de formation en théâtre qui suivirent, au Conservatoire d'art dramatique de Montréal, aucune histoire d'amour digne de ce nom ne se noua. Mais ce n'est pas faute d'avoir essayé ! Car à chaque nouvelle rencontre, à travers chaque liai-

---

15   *Les oranges sont vertes*, Claude Gauvreau, l'Hexagone, 1994.

son, dans chaque passager de la nuit, c'est toujours l'âme sœur que j'espérais trouver.

Il y eut pourtant une certaine idylle qui naquit vers la fin de ma dernière année d'études musicales à Québec et se poursuivit au cours de mes premiers mois de conservatoire à Montréal… J'étais follement amoureuse d'un jeune et brillant acteur qui lui, alors, n'aimait en fait que lui-même, totalement inconscient de sa part de responsabilité dans toute relation. Mais je croyais être aimée de lui, et cette liaison s'échelonna tout de même sur plusieurs mois, la plupart du temps à distance, pour s'arrêter brutalement au moment où j'étais le plus vulnérable.

Plusieurs années plus tard, quand les méandres de la vie nous amèneront à nous revoir, il me confiera dans un corridor, parlant de la femme avec laquelle il partageait alors sa vie et qu'il épousera quelques années après : « Oui, je suis heureux dans cette relation. Ce n'est pas sans heurts, des fois, mais j'ai enfin compris qu'une relation, ça se travaille. J'ai mis du temps à découvrir ça, moi. Avant, quand ça ne marchait pas avec une femme, je me disais tout simplement que ce n'était pas la bonne et je passais vite à une autre. C'est seulement à cinquante ans que j'ai compris que ce n'est pas comme ça que ça fonctionne. Il était temps ! »

Effectivement. Et mieux vaut tard que jamais. Mais vingt-cinq ans plus tôt, j'avais fait les frais de son inconscience. Après de nombreuses lettres enflammées échangées au cours de plusieurs mois, à son invitation, j'étais allée le rejoindre en France pour quelques semaines. Une dizaine de jours après mon arrivée, au premier heurt, il était tout simplement passé à une autre, me laissant décontenancée, gravement meurtrie par cet abandon qui allait me secouer de fond en comble, car il remuait un sentiment de rejet encore plus profond, enfoui dans les abysses de mon inconscient, relent d'un sentiment d'abandon relié à l'enfance dont je mettrai longtemps à reconnaître tous les ravages. Rejet d'autant plus difficile à encaisser que j'étais loin de tout, de mes proches, de mes repères habituels, totalement vulnérable, sans nulle part où me réfugier, sans personne à qui parler.

De retour au pays, cette cuisante première peine d'amour m'amena bientôt en dépression. Je me sentais complètement perdue et j'en éprouvais de surcroît une honte étouffante, à tel point que je n'arrivais pas à me confier à qui que ce soit. Je pouvais passer une heure entière à me fixer dans le miroir sans plus savoir du tout qui j'étais; je me noyais. Mais dès que je franchissais le seuil de mon studio miteux, rien n'y paraissait, j'arrivais à donner le change. Je commençais à éprouver un étrange et très déstabilisant sentiment de dédoublement. Heureusement, un ami proche, camarade du conservatoire, venu chez moi pour une répétition, perçut ce que personne d'autre ne voyait: la détresse que je dissimulais sous mes dehors habituels de battante.

Sans me poser une seule question, mon ami m'enjoignit de déménager chez lui, dans ce vaste appartement lumineux qu'il partageait avec un autre camarade de classe et où se trouvait une troisième chambre, inoccupée. Il fut catégorique: pas question que je reste dans ce sordide entresol une semaine de plus! Je ne pus que saisir cette main tendue, accepter cette preuve d'amitié, cette aide inespérée qui contribua grandement à me remettre sur les rails, du moins en partie. Il me fallut aussi consulter. Cependant, je n'allai pas au bout de cette première démarche thérapeutique et je ne mis pas complètement au jour les causes profondes de ce manque d'estime de moi, de cette insécurité et de ce besoin de valorisation dans le regard de l'autre. Tous ces démons demeurèrent sous-jacents et menèrent longtemps ma vie à mon insu. Et plus tard, ils finirent bien sûr par me rattraper.

1972

Ainsi donc, après mon Roméo, il se passa bien des années avant qu'un amour vraiment réciproque finisse par frapper à ma porte. C'est seulement un an et demi après ma sortie du conservatoire que Cupidon vint me surprendre, quand je revis mon cher Pierrot, un autre camarade de l'école de théâtre qui avait alors été non seulement mon principal partenaire de jeu, mais aussi mon confident, mon complice, et de temps à autre, mon amant. Nous étions des amis proches depuis trois ans et demi.

Ce soir-là, à La Barakah, un restaurant marocain qui devint dès lors notre resto préféré, Cupidon nous décocha à tous les deux une flèche en plein cœur, et force nous fut de constater, étonnés et ravis, qu'un sentiment amoureux réciproque venait de naître. Deux amis étaient entrés à La Barakah ; deux amoureux en ressortirent. Commença alors une relation de couple qui allait durer trois ans.

Mon Pierrot avait tout du personnage : poétique, fantaisiste, tantôt clownesque, parfois neurasthénique, souvent rêveur. Acteur s'adonnant avec ferveur à l'écriture (il mènera plus tard une double carrière d'acteur et d'écrivain avec un égal talent), il était en société extravagant, drôle, fabulateur par excès d'imagination ; tandis qu'il pouvait se révéler dans l'intimité souvent grave, acerbe dans la critique de ses semblables et de la société en général, voire misanthrope, d'une sensibilité à fleur de peau, pétri d'angoisses le plus souvent indéfinissables. Cancer, il était cyclothymique, comme bien des natifs de ce signe.

Ce furent trois années de rires, d'improvisations, de vie sociale très active, d'échanges enflammés sur l'amour, la solitude, la création, le métier et parfois de profonds questionnements existentiels. Mon tendre ami poète était un magnifique amoureux,

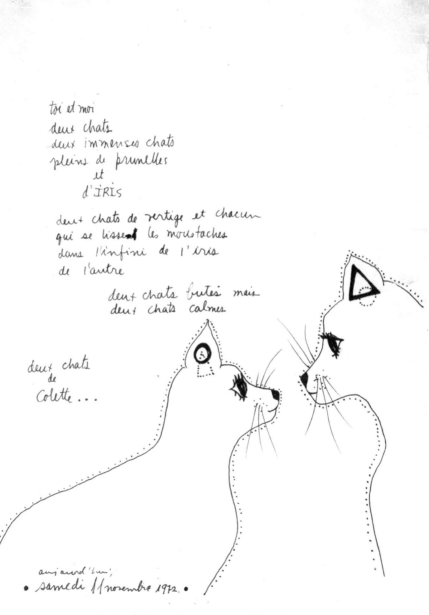

toi et moi
deux chats
deux immenses chats
pleins de prunelles
et
d'IRIS

deux chats de vertige et chacun
qui se lissent les moustaches
dans l'infini de l'iris
de l'autre

deux chats butés mais
deux chats calmes

deux chats
de
Colette ...

aujourd'hui,
• samedi 11 novembre 1972. •

Dessin de Marie-Lou, poème de Pierrot

passionné, aussi exalté que moi et profondément romantique. Nous avions une communication exceptionnelle; nous avions tant en commun! Je me sentais en profonde harmonie, en résonance avec lui; je l'appelais parfois mon Octave.

Par ailleurs, certains aspects de nos personnalités respectives nous éloignaient l'un de l'autre. À côté de ce qu'il appelait mon «talent pour le bonheur», Pierrot se trouva de plus en plus hanté par ses démons. Au cours de la troisième année de notre relation amoureuse, mon bien-aimé sombrait, vivant alors sans doute une des périodes les plus sombres de sa vie, assailli de pensées suicidaires. Un jour, il me disait «Je veux mourir»; le lendemain «J'ai peur de mourir». Et le jour d'après, c'était «Si tu n'étais pas là, mon amour, je me tuerais». Sa crise existentielle pesa de plus en plus lourd sur mes épaules, et je n'arrivai plus à lui remonter le moral.

Un ami proche qui nous connaissait bien tous les deux, un homme d'une grande perspicacité, m'incita à le quitter en me tenant ces propos:

«Tu joues à la mère avec tes amants, Marie-Lou. Et tant que tu joueras à ce jeu-là, tu seras perdante. Parce que la mère, qu'est-ce qu'elle veut? Elle veut que son enfant grandisse! S'il ne grandit pas, elle est malheureuse. Et s'il grandit, il n'a plus besoin d'elle, il s'en va, et elle est malheureuse de le voir partir. D'un côté comme de l'autre, elle perd. Ton Pierrot est accroché à tes jupes, ma belle. Si tu le quittes, il va tomber, c'est sûr! Mais s'il ne tombe pas, il n'apprendra jamais à marcher. Si tu l'aimes vraiment, quitte-le.»

Ça m'était tellement difficile! Car je l'aimais vraiment, justement, aussi pénible que fut son état que je considérais comme temporaire. M'arracher à lui me déchirait, mais je savais bien que notre ami avait raison. Je m'épuisais à essayer d'être heureuse pour deux, je n'y arrivais plus et je commençais à me sentir moi-même tirée vers le bas. Je le quittai donc, le cœur brisé, pour notre salut à tous les deux. Malgré tout le soin que je mis à lui expliquer les raisons pour lesquelles il m'apparaissait indispensable de rompre, il fut dévasté par cette rupture : à la peine de perdre son amoureuse s'ajoutait la panique de se retrouver sans sa bouée de sauvetage.

L'obligation de partager la même scène peu de temps après la séparation nous fut bien difficile à tous les deux. Par ailleurs, cela nous força à prendre une distance, à nous voir l'un l'autre autrement, à travers le groupe, redevenus « simples » camarades de travail. Et peu à peu, le temps fit son œuvre. Effectivement, Pierrot retomba sur ses pattes, si bien qu'il nous fut possible de renouer notre amitié quelques mois plus tard. Un an ou deux après, il rencontrait la véritable femme de sa vie, celle qui lui donnerait l'enfant dont il rêvait depuis si longtemps, car en bon Cancer, le désir de paternité était viscéral chez lui. Et je crois que le fait d'être père a grandement contribué à son équilibre et assurément à son bonheur.

Ah ! Les hommes Cancer ! Ils auront eu le don de venir me chercher bien loin, au plus profond de mes entrailles, tout au long de ma vie ! De mon premier amour – mon cher papa – à mon dernier, mon fol amour impossible : mon beau Géant anglais. Mais j'en reparlerai plus tard. Pour l'heure, revenons en arrière, à Eastman…

Été 1975 : trois amours

Trois hommes firent battre mon cœur cet été-là, et parmi eux, deux natifs du Cancer ! (Ça ne s'invente pas !)

L'Ami bien-aimé

Il y eut d'abord Jean-Jean, le bien-aimé qui refusa mes avances, mais rouvrit mon cœur fermé par ma rupture récente avec Pierrot, qui se fit l'ami tendre et bienveillant tout au long de l'été et qui, par la suite, au fil des ans, me conserva toujours, je crois, une certaine affection, bien réciproque.

Double fête : notre première et l'anniversaire de Jean-Jean, notre auteur, mon camarade, ma joie, ma surprise, ma nouvelle respiration du cœur, mon souffle inattendu. Mon esprit n'avait pas prévu de place pour cet amour-là ; il m'envahit, se creuse un chemin jusqu'en mon centre et il y vit, tenace.

[...]

Nous sommes heureux, le vin coule joyeux à La Châtelaine, malgré la mauvaise cuisine. Puis, le groupe se dissout, on rentre à tour de rôle ; ils disparaissent tous. Je reste seule avec Jean-Jean à contempler la brume qui monte du lac d'Argent dans la splendeur de l'aube. Ô le beau miracle quotidien dont on est si rarement témoin ! Je porte en moi la couleur de ce matin qui m'a enfin glissée dans les bras de Jean-Jean, dans le silence parlant de son regard ; mon cœur troublé s'agite, et ma raison a beau faire : j'aime !

Il vient me parler la nuit dans mon sommeil, et je m'éveille avec les odeurs vives de rêves qui n'en sont pas. Et je recommence à écrire.

[...]

Sous le souffle de Chopin, entre les draps bleus, dans ma robe de satin blanc, je renais ce soir à un autre air d'aimer. Il circule dans mes veines une vie nouvelle. Mon passé me tend des mains pleines de richesses, de secrets, de réponses aussi peut-être. Jean-Jean est venu rouvrir mon cœur. Et je regarde à nouveau les

êtres et les choses avec l'œil incrédule et attentif du commence-
ment de quelque chose. Qui dira le bonheur d'aimer?

Jean-Jean m'aime bien, trop bien justement pour accepter
une simple aventure. Il a cette intégrité-là. Il ne dirait « Oui » qu'à
un engagement véritable, et pour une raison que j'ignore, il n'est
pas prêt à cela. Il prendra le temps qu'il faut pour m'amener à
comprendre, en ménageant mon cœur, jusqu'à ce que je lâche prise.

Depuis la première aube, outre mon journal, j'écris aussi ce
que j'ai appelé *Lettres tacites* : des lettres qui lui sont adressées et
qui resteront silencieuses, secrètes ; il n'en saura rien.

Un troisième jour s'est levé, une troisième aube venue de
toi – j'ai appris que tu les détestais! Et moi qui les adore… Quel
dommage! Trois aubes pour comprendre. Tu m'as fait ajuster
mon vocabulaire. Je ne dirai plus «Je t'aime!», je dirai plutôt
«J'ai envie de t'aimer!». Envie folle, née du cœur, de la tête,
du sexe, de ton rire, de ton œil espiègle – oh, la belle envie! Pas
morte, non, mais replacée, ajustée dans son vocabulaire à la juste
place du temps présent.

Je me suis avancée et je me retire doucement, je fais un pas
en arrière, sans me retourner, toujours face à l'à-venir. Je me
retire sans rien fermer, toutefois. J'aime encore, toujours, et ne
cesserai d'aimer ce que je connais de toi, et je reste disponible
à t'apprendre, à t'aimer encore davantage ; mais je ne demande
plus rien, n'attends plus rien, n'espère plus rien.

Il y a ce qu'il y a, il vit ce qui vit. L'à-venir, l'à-naître nous
est inconnu, et je ne veux rien en présumer : il sera ce qu'il doit
être. Je ne réserve plus rien. La table ne sera peut-être pas mise
quand vous frapperez à ma porte, mais ma porte s'ouvrira tou-
jours pour vous, et vous serez toujours bienvenu.

Je tiendrai bon plusieurs semaines, parce que j'aime tant ce que je connais de lui. J'ai eu le bonheur déjà de le fréquenter sur plusieurs plateaux de télé; c'est un partenaire adorable. Et sa nature à la fois rieuse et sensible me séduit complètement! Je lui écrirai de ces lettres presque jusqu'à la fin de l'été. Et dans ce journal de l'été 1975, il est fait mention de lui régulièrement presque jusqu'à la fin du mois d'août. Tout en ayant renoncé à la possibilité d'une relation amoureuse entre nous, je lui conserverai toujours une place toute particulière dans mon cœur.

Fête des Lions hier chez Albert[16], parmi les fruits, les arbres, les pâtisseries et les enfants. Le petit Sébastien et la Fée Fridoune aux ballounes nous ont tous entraînés dans un mouvement collectif et spontané de grimaces, de bulles, de comptines et de répliques enfantines. Les tables dressées partout regorgeaient de fruits, de confitures, de pains de toutes sortes, de fromages... Une vraie fête! C'est Jean-Jean qui m'a accueillie le premier, mon foulard de soie indienne noué à son cou, et son étreinte était tendre, affectueuse, enveloppante. Il a interprété mon dessin d'hier: «Tu as une énorme tendresse qui jaillit de toi. Tu ne demandes qu'à donner, à te fondre, à t'unir, quitte à... mourir serait trop fort, mais quitte à disparaître même. Faire un et ensuite mourir. En tout cas, le moins qu'on puisse dire, c'est que tu es prête à vivre! Tout ne parle que d'harmonie, d'unité, de fusion. Tu es prête à t'identifier, à te donner entièrement. Et tu veux aller au boutte! C'est pas possible comme c'est au boutte!»

Oui, je suis prête, tu l'as bien vu dans mes dessins. «Prête à vivre», as-tu dit? À vrai dire, je vis déjà. J'attends sans attendre cet autre qui pourra partager mon amour de la Vie. Prendre tout

---

16   Albert Millaire, coauteur et metteur en scène de *Madeleine de Verchères*.

ce qui peut couler d'Elle à travers moi et laisser couler tout ce qui peut passer d'Elle à travers lui.

« Cet autre » apparaîtra dans ma vie quelques jours seulement après cette dernière lettre tacite. Et il sera Cancer, lui aussi (!). Mais entre mon béguin des premiers jours de l'été pour l'Ami bien-aimé et l'arrivée de l'Amoureux à la fin de la production, il y eut l'Amant...

L'Amant

Vint ensuite Icare, le beau ténébreux, l'utopiste au cœur fuyant.

Oh! Que de beaux ténébreux j'ai aimés dans ma vie! Je fus longtemps attirée par ces beaux hommes angoissés, tourmentés, meurtris, que chaque fois je voulais sauver. Ô erreur, si courante chez les femmes, que de croire qu'on peut changer l'autre! Pour le rendre heureux, certes, mais surtout afin qu'il devienne le partenaire rêvé. Mais ce n'est jamais qu'un rêve, justement. Car on ne change personne. Jamais. On ne peut changer que soi-même.

Outre qu'il est *a priori* bel homme, le beau ténébreux est généralement d'une grande sensibilité qu'il s'efforce de tenir cachée aux yeux des autres; il est méfiant, souvent un peu cynique; il est secret, et son mystère ne fait qu'ajouter à son charme. Il n'arrive à s'ouvrir que très rarement, il a du mal à s'engager; il a peur d'aimer.

Icare était tout cela. Nos courtes amours ne furent qu'une constante valse-hésitation, presque une lutte. Il venait vers moi, puis se dérobait. Revenait, pour fuir à nouveau. C'était un homme d'une puissante énergie sexuelle, et c'est sur ce terrain-là que nos rencontres se déployaient. Un amour-passion sans réciprocité autre que celle des sens. Je n'arrivais pas à rejoindre son cœur, ce qui moi aussi me faisait tergiverser : continuer ou rompre ? Je n'arrivais pas à échapper à mon désir de lui, mais mon cœur le cherchait en vain, et je me sentais de plus en plus mal à mon aise dans cette relation.

« L'amour m'exaspère ! »[17] Icare m'exaspère ! Une minute, j'ai envie de le gifler, de le jeter dehors, et la minute d'après, j'ai envie de le prendre dans mes bras, j'ai envie qu'il me soulève au bout des siens. Et rien ne se passe qu'une lutte silencieuse entre ce qui en moi en appelle à lui et ce qui en moi le rejette – une lutte silencieuse entre lui et moi aussi.

[…]

« Pour ce qui est des sentiments, purs sont tous les sentiments sur lesquels vous concentrez votre être entier et qui vous élèvent ; impur est un sentiment qui ne répond qu'à une partie de vous-même et par conséquent vous déforme. »[18]

Je me sens divisée par ce qui m'attache encore à Icare. Qu'ai-je à faire de ce fantôme qui se confine dans son manque de courage, de cet enfant en révolte qui se replie dans sa peur d'aimer ? Icare en appelle à la saga, à l'aventurière en moi ; Jean-Jean fait bouger mes mers intérieures.

[…]

Mon bien-être de ce soir dans la douce tranquillité de l'Oasis, ma solitude un peu triste, mais où perce un rayon de sourire tendre, mon besoin d'intégrité, me poussent à conclure. Je sais aujourd'hui

---

17   Titre de ma chanson préférée de Louise Portal. Elle en a incidemment inséré le texte dans son récit à la page 39.

18   *Lettres à un jeune poète*, Rainer Maria Rilke, Grasset, 1937.

que j'aurai le courage de renoncer dès demain à l'étreinte forte de ses deux bras. Il me faudra obéir à mon âme, à mon besoin d'unité. Adieu, Icare ! Je vous ai tant aimé !

Le lendemain, je mis effectivement un terme à cette trop longue valse et retrouvai mon intégrité. Il sera le dernier homme que j'aurai eu la tentation de « sauver ». En cela, je lui dois en partie d'avoir abandonné pour de bon ce rôle de mère avec mes amants.

En filigrane, l'amitié

Parallèlement à nos amours respectives se nouaient entre Louise, Christiane et moi des amitiés qui allaient se tisser de plus en plus étroitement tout au long de cet été et allaient s'avérer parmi les plus durables de chacune de nos vies. Dès le point de départ, je vivais avec elles une proximité, un degré d'intimité, une confiance, tels que je n'en avais encore jamais connus.

Je suis aidée, provoquée et soutenue par Christiane et Louise, moins menacée d'erreur, d'errance dans les chemins creux où l'on marche à vide, parce que devant elles, je n'ai pas peur de me tromper, d'être fragile, de révéler mes défaillances et mes angoisses présentes. Oh ! La pudeur me retient encore, parfois, car j'ai si peu l'habitude de ces confidences-là. Si peu l'habitude de l'expression immédiate de moi-même, du langage direct du cœur sans l'abri du temps ou le filtre de la rationalisation. Qu'elles me font du bien ! J'apprends à marcher avec de nouvelles jambes, pas très solides encore, mais confiantes. En étalant ainsi mes cartes faibles, j'en prends conscience plus vite. J'apprends de leurs questions, de leurs réponses, de leurs gestes, de leur vérité. L'amour est une force de changement.

L'amour est sans conteste LA force de changement. Et l'amitié en est peut-être la forme la plus pure et la plus durable. « L'amitié est avant tout certitude, c'est ce qui la distingue de l'amour. Elle est aussi respect, acceptation totale d'un autre être. »[19] Mes amitiés sont indéniablement ce qui m'est le plus précieux dans la vie. Probablement mon chemin le plus clair dans l'apprentissage de l'amour.

Après l'Oasis

Au moment de ma rupture avec Icare, la production d'Eastman tire à sa fin, et toutes les trois, nous souhaitons prolonger notre cohabitation qui se terminera à la mi-septembre :

Christiane, Louise et moi cherchons une maison à louer d'octobre jusqu'à l'été prochain au moins, une continuation de l'Oasis. Dans moins de deux semaines, l'aventure de Madeleine de Verchères *sera terminée. Soupir de nostalgie. La fin d'un cycle ; le début d'un autre. […] Je rêve de cette maison blanche au creux des vallons de Georgeville Road que nous avons visitée cet après-midi. Je rêve de ces pommiers, du papier peint victorien de la salle à manger, du bonjour des vaches à quelques pas de la maison. Louise répète son cri de chat de la première scène, et je rêve de poules, de plantes, de marches dans les bois, d'automne et de neige. Le mouvement de mon cœur est en accord avec la lumière qui change, l'odeur de trèfle et de pin, le vent frais, l'herbe qui commence à jaunir, le roux du petit cèdre desséché. Et nous parlons cuir, lainages, bottes, ski de fond, déblayage de*

19   *Le coup de grâce*, Marguerite Yourcenar, Gallimard, 1939.

la neige… Notre maison qui flotte cherche un point d'atterrissage pour pouvoir s'envoler – la migration d'hiver de l'Oasis.

Mais nous ne concrétiserons pas ce projet. Parce que la vie nous appellera ailleurs, happées toutes les trois par le retour en ville, chacune retrouvant ses pénates citadins ; par le cours de nos carrières aussi, qui nous rassemblera tout de même dès septembre en salle de répétition, puis sur les planches, pour *Marche Laura Secord,* une autre comédie musicale qui réunira le « noyau dur » d'Eastman et autant de comédiens talentueux de Québec. Encore quelques mois à fouler la même scène, tant à Québec qu'à Montréal, et finalement à Ottawa.

Et puis… c'est classique, quand une fille tombe en amour (oh, le beau lapsus, j'avais tapé « folle » au lieu de « fille » !), ses amies ne la voient plus pendant un certain temps… Je n'échapperai pas à ce phénomène qui fait en sorte que trop souvent, l'amoureuse prend toute la place et relègue temporairement au second plan toutes ses amitiés. Ainsi, l'Amoureux arrivera aux derniers jours de *Madeleine de Verchères,* et dès lors qu'il entrera dans ma vie, ce n'est plus de la maison de Georgeville que je rêverai, mais bien d'un long partage avec lui.

La « troupe » de *Marche Laura Secord* : En partant du bas et en faisant le cercle dans le sens des aiguilles d'une montre : Albert Millaire, Marie-Lou Dion, Marie Cantin, Jean-Pierre Matte, Maryse Pelletier, Robert Lalonde, Pauline Martin, Jean Perreault, Jean-Pierre Chartrand, Louise Portal. Au centre du cercle, de gauche à droite : Pierre Brisset des Nos, Dorothée Berryman, Christiane Pasquier

© André Le Coz

L'Amoureux

Il surgit sur ma route presque à la fin de l'été. Orphée, l'homme debout, l'amoureux sincère ; la réciprocité des sentiments aussi bien que celle des sens, la rencontre des esprits et des âmes aussi bien que celle des corps ; un véritable amour enfin.

Homme de spectacle lui-même, résidant non loin d'Eastman, ami de Louise, il était tout naturellement venu la voir jouer et chanter dans *Madeleine de Verchères*. Il revint trois jours plus tard :

Dans le bruit et la fumée du Chat gris, mes yeux s'attachent à un regard, à une voix : Orphée. Hier, je l'attendais ; c'est ce soir qu'il arrive, et je suis surprise de lire dans ses silences le même trouble qui m'agite. Il m'offre son affiche demandée mercredi et me tend un mot :

« Pas de deux

Sur une musique imaginaire
Au rythme improvisé
Fantastique ballet stellaire
Dansent mes pensées
Sur un pied
Depuis hier

Orphée »

Rendez-vous à Montréal lundi soir. Et mon cœur se soulève. Je ne vis plus que pour notre prochaine rencontre.
[...]

Dans le taxi qui me ramène à Radio-Canada, le cœur battant, avec un trac de débutante, j'écris le billet que je lui tends après l'enregistrement:

« *Sur la pointe des pieds*
S'est glissé en moi
Un visage ouvert
Dans un crépuscule de perle
J'ai une nouvelle voix
Pour musique
Une nouvelle planète
À fouiller du pied
Comme de l'œil
Mes bras s'ouvrent
Et j'ai envie de danser.

Marie-Lou »

Il n'en fallait pas plus pour que la flamme déjà allumée en chacun de nous devienne brasier.

Son visage s'est d'abord glissé en moi sur la pointe des pieds, et voici qu'il est entré tout entier en moi, cet homme, qu'il se tient debout, bien droit sur ses jambes fortes, qu'il me fixe et me dit: « Je suis là. » Il m'appelle Marie-Louise, et je change de nom, je change de couleur, je change de rythme, je change de vie. Je suis prête à changer de vie pour lui, par lui, avec lui. [...] J'ai perdu la notion du temps. Cet homme m'avive, me remplit, et j'ai l'impression à la fois de ne plus exister et de commencer à être, à vivre enfin du tréfonds de moi-même. Un homme, un vrai, le premier que je rencontre sur le chemin de l'amour. [...] Je suis remplie de son intensité, de sa sincérité intransigeante, de sa fierté, de sa dignité.

[...]

Louise, ma belle confidente, elle par qui le destin m'a présenté ce visage d'homme, Louise s'émeut de mon chavirement lucide. «Que ce doit être extraordinaire d'être en face d'un homme qui a la même intensité que soi!» Car elle perçoit à travers ce que j'ai pu lui dire que c'est bien ce que je rencontre en lui: la même intensité! Je suis dense, ramassée, solide, pleine et dure comme une pierre, docile comme une pierre, pleine de mouvements comme une pierre. Et j'ai les ailes et le gouvernail d'un pluvier.

Lui aussi m'a sincèrement aimée. Nous nous sommes fréquentés, apprivoisés, cherchés par moments; nous nous sommes mutuellement reconnus, admirés, protégés, caressés, aimés enfin, pendant plusieurs mois. Mais peu à peu, l'enchantement fit place à un triste constat: son veuvage encore trop récent et son rôle de père auquel il voulait se consacrer aussi généreusement que possible ne me laissaient que bien peu de place dans sa vie, contrairement à la place prépondérante qu'à tort ou à raison je lui laissais prendre dans la mienne. Encore torturé par moult questions concernant sa défunte femme, décédée à peine quelques mois plus tôt, constamment préoccupé de sa fille désormais orpheline de mère, non seulement son esprit se tenait de plus en plus souvent à l'écart en ma présence, mais je dus me rendre compte à quel point le besoin de sécurité était alors prioritaire pour lui, tandis que pour moi, c'était le besoin de liberté qui primait.

J'ai mal à notre séparation, comme chaque fois où j'ai l'impression que nous ne nous sommes pas donné l'un à l'autre le maximum de présence possible. Et c'est là-dessus justement que je doute de lui en ce moment : la capacité d'être présent, la disponibilité. Quand je lis : « Et je suis tellement content que [ma fille] soit là, qu'il y ait encore quelqu'un qui m'attende à la maison... », je me dis que son besoin de sécurité l'emporte sur tout. Moi, je ne suis pas là pour l'attendre à la maison, je ne serai pas là avant longtemps et je ne serai peut-être jamais là, à l'attendre à la maison. [Sa fille] est la femme qui l'attend à la maison, et moi, je suis sa maîtresse.

[...]

Ce matin, il me paraît détendu. Dans le soleil de la cuisine, son regard est clair. Il est là, rassemblé, présent, son sourire est doux. « C'est vrai qu'il y a plus de place pour moi dans ton univers que pour toi dans le mien. Mais je l'prends pas que ce soit comme ça. Je l'prends pas que j'puisse pas te donner tout ce que tu mérites que je te donne. » Je souris. J'ai l'habitude. J'ai toujours donné plus qu'on ne pouvait me donner. Je suis une geisha.

Mais auprès de lui, bientôt, je n'arrivai plus à endosser ce rôle.

J'émerge de mes flottements peu à peu depuis hier. Et il apparaît clair pour moi qu'il me faut rompre avec Orphée, incapable lui-même de rompre avec son passé.

Alors, j'ai quitté le salon de thé et retiré mon kimono pour reprendre mon chariot de bohémienne, retrouver ma solitude et ma vie de saltimbanque. J'aurais tant aimé pourtant que cet amour sincère entre nous trouvât son chemin dans la réalité, sa place dans sa vie à lui autant que dans la mienne. Mais la réalité était autre, et la vie me montrait une autre voie.

Dans mon journal, une page quasi complète laissée en blanc...

C'est à dessein que j'ai laissé une longue marge entre hier et aujourd'hui. Je me retrouve aujourd'hui; je retrouve ma lumière propre, mon bonheur de vivre inconditionnel. Ma vie a cessé de s'organiser autour d'un amour, de dépendre d'un amour. Ma vie s'organise <u>dans</u> l'amour, à partir de mon désir, de mon amour de vivre.

[...]

Je suis une bohémienne, une saltimbanque, je n'ai d'attaches que celles du cœur; je suis en voyage, en transit, de passage, et je joue avec le temps.

Quelques lignes plus loin, cette citation de Ferré qui m'accompagne toujours: « Les solitaires se peuplent eux-mêmes. C'est ce qui leur donne cet air multiple au bout duquel on ne les connaît jamais tout à fait, parce qu'ils ne se ressemblent jamais. »

Il y a quelques années, un ami retrouvé après presque une décennie sans se voir me confia:

— Les dernières fois que je t'ai vue, j'avais un peu peur de toi.

— Peur? De moi? Mais ciel, pourquoi donc?

— Parce que chaque fois que je te revoyais, tu étais tellement différente de la fois d'avant... Je ne savais jamais qui était la vraie Marie-Lou.

La « vraie » Marie-Lou a été, est et sera toujours multiple et changeante. La seule constante dans ma vie, dans LA vie, c'est le changement; l'*anytia* des bouddhistes, l'impermanence de toute chose.

Ce beau trio de femmes

Comme il est de tradition au théâtre, à La Marjolaine comme ailleurs, nous avions relâche le lundi. Quand nos autres obligations professionnelles ou personnelles nous laissaient vraiment en congé, Louise, Christiane et moi nous réservions cette journée pour la passer ensemble toutes les trois, entre nous la plupart du temps, parfois avec d'autres. Des journées de douceur, de complicité, de rires partagés.

Un de ces précieux lundis, après avoir revêtu nos plus beaux atours, nous avons quitté l'Oasis toutes les trois et nous nous sommes engouffrées sous la carapace de Bécassine, la sympathique Coccinelle[20] de Christiane, pour une escapade entre nous.

Notre périple n'a été que fête, célébration de l'exceptionnelle force triangulaire que nous avons découverte, assumée et nourrie depuis notre arrivée ici et qui maintenant a suffisamment pris forme pour être indéniable, non seulement dans nos cœurs, mais aux yeux de tous.

Première halte : la bijouterie de la ville voisine pour y acheter quelques parures. Ensuite, nous avons filé vers la campagne, à la chasse aux antiquités. Chemin faisant, une maison abandonnée nous a fait signe ; nous nous y sommes arrêtées, le temps de griller une cigarette agrémentée d'un peu d'herbe (la majorité des acteurs étaient fumeurs à l'époque, et nous ne faisions pas exception !) et de prendre quelques photos.

---

20   Volkswagen de type 1, modèle de voiture très en vogue à l'époque.

Dessin de Marie-Lou évoquant cette escapade en trio

Toutes parées, prêtes à partir ensemble pour une sortie de groupe cette fois.
À l'avant-plan, les Trois Grâces ; derrière, Nathalie Le Coz, notre régisseuse,
et Louise Lussier, notre chorégraphe et amie.

Christiane et Marie-Lou

Christiane et Louise

Puis, Bécassine nous a amenées à North Hatley, plus précisément à la boulangerie Chez Dame Jacqueline, sans le savoir le véritable but de notre périple.

Dame Jacqueline dans sa boutique, avec « son » Vital
© Jocelyn Boutin

Jacqueline était une cuisinière hors pair, une entrepreneure remarquable qui tenait boutique sur les bords du lac Massawippi et qui contribua grandement à la réputation de son village d'adoption. Dans l'Encyclopédie de L'Agora, on peut lire ce qui suit, au début de la page qui lui est consacrée :

« Comment évoquer son souvenir sans tomber dans l'anecdote, toujours insuffisante pour rendre compte d'une personnalité si riche et si complexe ? On pourrait dire d'elle qu'elle était d'abord et avant tout une *passionaria* ! Elle faisait tout avec passion : ses engagements politiques, sa cuisine, ses rapports avec ses amis et les clients. »

Nous étions venues ce jour-là faire halte chez elle pour le plaisir de sa compagnie et pour sustenter nos corps, mais ce furent nos cœurs surtout qu'elle nourrit, avec toute sa générosité légendaire. Tandis que nous sirotions nos cafés en savourant ses délicieuses pâtisseries, elle nous livra ces propos :

« Ne perdez jamais votre dignité. Il faut montrer à un homme qu'on l'aime, mais ne jamais perdre sa dignité. Retirez-vous pour pleurer. Ne demandez rien à un homme qui vous a déjà fait mal ; ne faites plus un pas vers lui. Attendez qu'il vienne à vous.

Les hommes restent bouche bée devant les femmes qui ont une personnalité. Il vous faut aller vers eux, parce qu'eux vous craignent ; ils deviennent timides et tout petits devant vous.

Êtes-vous possessives ? Vous êtes peut-être trop jeunes pour l'être ; vous avez peur de l'être. Mais sachez que c'est ce que l'homme désire le plus : être la possession d'une femme. Et là, je ne parle pas de jalousie ; la jalousie, c'est autre chose. Une personne jalouse est malheureuse, rend l'autre malheureux et rend tout le monde autour d'elle malheureux. Quand on possède vraiment, on n'est pas jaloux. Vous autres, vous ne dites pas "T'es à moi", comme je l'ai dit à Vital. Vital, il est à moi, et personne ne peut y toucher.

Vous verrez à quarante ans que l'amour, c'est autre chose que ce que vous vivez présentement. Vous les aimez parce qu'ils sont beaux ou pour ce qu'ils ont dans la tête – en vieillissant, c'est le cœur que vous regarderez, c'est pour ses qualités de cœur, sa bonté, que vous rechercherez un homme.

Je pense que ce qu'il vous faut, ce sont des hommes qui ont au moins sept ou huit ans de plus que vous, parce que vous êtes beaucoup plus matures que les garçons de votre âge. C'est-y assez bébé, les hommes ! ? Moi, avec Vital, c'est la première fois que je ne joue pas à la mère avec un homme. »

« Mais la possession dont vous parlez, Jacqueline, les hommes jeunes la craignent. Mon dernier amoureux me reprochait souvent d'être possessive, se plaignait de ne pas se sentir libre. »

« C'est parce qu'ils n'ont pas assez de maturité ! Vous aimez un homme ? Alors, sortez avec lui, vivez avec lui et quand rien ne va plus, quittez-le ! Vivez-la, votre vie, faites-la ! Ne vous empêchez jamais de vivre quelque chose avec quelqu'un ; allez jusqu'au bout ! Sinon, vous resterez toujours avec la pensée de cette personne-là derrière la tête ; cela vous poursuivra toute votre vie. Vous traînerez des : "Si j'avais pu... J'aurais peut-être dû... Peut-être qu'avec lui..." Non ! Il ne faut pas s'empêcher de vivre ce qui se présente, pour quelque raison que ce soit ; il faut tout vivre, toutes les étapes. Plus tard, l'amour prendra une autre forme pour vous, et vous verrez que ce que vous éprouvez maintenant, ce n'est pas vraiment ça, l'amour. Mais vous devez vivre ces étapes-là. Si vous ne les vivez pas au moment où elles se présentent, elles reviendront plus tard, et durement. »

Jacqueline, maîtresse femme, femme de cœur, la grande Dame de Cœur, parlait, et nous écoutions religieusement, prenant d'elle une leçon d'amour, une leçon de cœur, une leçon de vie. Là était le but principal de notre aventure : la réponse, c'était Jacqueline ; Jacqueline qui est en elle-même une réponse.

J'étais sceptique alors en entendant Jacqueline parler de possession et je ne peux toujours pas souscrire à ces propos, car pour moi, chacun doit pouvoir conserver son entière liberté dans une relation amoureuse véritable ; mais hormis ce passage, toutes ses paroles m'apparaissent encore aujourd'hui d'une lucidité, d'une pertinence et d'une sagesse exemplaires.

Ô mes amours anciennes ! Vous tous, chers amoureux, chers amants, comme je vous ai aimés !

Chacun d'entre vous occupe toujours une place bien particulière dans mon cœur, où je conserve la mémoire de tout ce que nous avons partagé. Je vous contemple tous avec tendresse et gratitude pour ce que vous m'avez permis de vivre et d'apprendre sur les chemins de l'amour. Car l'important, c'est d'aimer ! Je sais, c'est un cliché, mais n'empêche que voilà une de mes convictions les plus tenaces : il importe bien davantage d'aimer que d'être aimé.

Je ne nie pas le grand bien que procure le fait d'être aimé, mais alors qu'être aimé nous conforte tels que nous sommes, là où nous sommes, aimer nous amène ailleurs. Être aimé nous rassure sur nous-mêmes, berce le Narcisse blessé en nous, estompe, sinon efface, le sentiment de solitude. Tandis qu'aimer nous pousse à donner, à vibrer à ce qui n'est pas nous, à expérimenter la nouveauté, à changer, à grandir, dans la pleine conscience et le total respect de sa solitude et de celle de l'autre.

« Vouloir être aimé épuise l'amour. Vouloir aimer engendre l'amour. »[21]

Cette distance...

Revisiter ainsi mon passé ramène à la surface la richesse de tout ce que j'ai pu vivre. Et tout cela est toujours bien vivant en moi, bien plus que je ne le croyais. Non pas que j'aie jamais renié quoi que ce soit, mais hormis lors de démarches thérapeutiques, je n'ai jamais été portée à regarder en arrière. Chaque fois que j'ai tourné

---

21   Oscar Brenifier.

une page, je ne suis jamais revenue au chapitre précédent ; je suis toujours allée droit devant. Quand une histoire se termine, je tâche de passer à autre chose. « Marie-Lou, elle est capable de se retourner sur un dix cennes », a souvent dit de moi une de mes meilleures amies. Aucun mérite, je suis faite comme ça. Ce qui m'a sans doute épargné d'éprouver des regrets ou du ressentiment, aidée à pardonner sans trop d'efforts les coups portés, quelle que soit la douleur ressentie.

Cela tiendrait-il à mon signe astrologique chinois ? Peutêtre… Je suis native du Rat, le premier signe, le premier animal à se présenter devant Bouddha. On dit de lui : « Le Rat se rendra à la montagne s'il ne se retourne pour regarder en arrière. » Il semble que je sois née avec cet instinct-là.

Ce qui fait que regarder en arrière aujourd'hui, au tournant de ma septantaine, m'est un exercice aussi inhabituel que troublant, aussi bouleversant que stimulant. Dans le même élan, renouer avec l'écriture me fait le plus grand bien. « Cette distance qui fait que le regard s'aiguise et qu'on voit clair… »[22]

À travers mes écrits de jeune femme, je perçois d'ailleurs cette clarté de regard qui provient justement de la distance que l'écriture vient dessiner entre soi-même et ce que l'on vit. Distance salutaire qui rend plus lucide, plus présent à la réalité immédiate, plus vivant ! J'ai le sentiment que mon parcours débouche aujourd'hui précisément sur ce sentier. Que c'est probablement sur cette voie privilégiée que je vais dorénavant poursuivre ma route. Enfin… qui vivra verra…

C'est aussi pour trouver cette distance qui étire le regard que j'ai toujours aimé voyager. Le voyage vous amène à changer

---

22   *Le pèlerinage aux sources*, Lanza del Vasto, Gallimard, 1972.

de point de vue, à aiguiser vos sens, et de là, vos perceptions. Il vous permet aussi d'être regardé, d'être vu et perçu autrement.

Métier et création

Peter Brook, le génial metteur en scène, l'un des plus grands, sinon LE plus grand du XXe siècle, a déjà dit de son métier : « Faire de la mise en scène, c'est tenir de façon absolue à une chose que l'on sait toute relative. »

N'est-ce pas le cas pour toute création artistique ? Est-ce que tel auteur n'aurait pas pu opter pour une tout autre façon d'écrire son histoire et même en raconter une tout autre à la place ? Est-ce que le sculpteur n'aurait pas pu jeter son dévolu sur un autre modèle ou le voir dans une pose complètement différente ? Oui, sans doute, dans les deux cas. Ce que chacun a su faire, c'est pousser son choix, aller au bout de sa vision, de ses perceptions, de ses capacités et de son talent. Au fond, le sujet n'a pas une si grande importance. Importe bien davantage la manière de l'aborder, de le traiter, de s'y donner, de le mettre en lumière, avec autant d'ardeur, d'honnêteté, de sensibilité, d'authenticité et d'originalité que possible. C'est ce que tout artiste tente de faire chaque fois avec sa nouvelle création. C'est ce que tout être libre tente de faire chaque jour avec sa vie.

Les trois quarts des pages de mes quelque quarante cahiers de journal intime parlent de mes mouvances amoureuses ; c'est dire la place qu'elles ont tenue dans ma vie ! C'est dire surtout quels éclats, quels tourments, quels élans et quels questionnements elles m'ont fait vivre : toutes, mais absolument toutes les affres et toutes les délices de l'amour !

Mon parcours professionnel n'en a pourtant pas été moins important pour moi. Il a juste été pour ainsi dire plus calme, moins chaotique. Il a certes comporté lui aussi ses moments d'angoisse, ses questionnements, ses épisodes de remise en question, ses moments de deuil, son lot de peines et de déceptions, aussi bien qu'il m'a fait connaître de grandes joies. Mais assurément pas de montagnes russes comme dans ma vie amoureuse ; et jamais de douleurs aussi cuisantes non plus !

Les années 1970

J'ai commencé ma carrière d'actrice en 1970, dans la comédie musicale *Hair*. Oh, quel bonheur ! Danser, chanter et jouer, tout en même temps : joie suprême ! Au point de départ, en français, j'y tenais un des premiers rôles, et en anglais, je faisais partie de la « *tribe* », c'est-à-dire que j'étais un des vingt et quelques membres de la tribu. Assez vite toutefois, on me demanda de jouer le même premier rôle tant en anglais qu'en français, et je fus donc Jeannie dans les deux langues pour le reste des quatre-vingt-seize représentations, un record à l'époque ! Les comédies musicales au Québec ne sont pas légion, mais elles étaient alors bien plus rares que maintenant, et moi, j'aurais souhaité ne faire que ça !

J'ai appris quelques décennies plus tard que ma petite maman chérie avait rêvé, jeune fille, de jouer dans des comédies musicales... Ce désir me venait-il d'elle, inconsciemment, pour réaliser son rêve à elle ? Peut-être... Quoi qu'il en soit, j'ai adoré chacune de ces aventures. J'ai eu la chance d'en vivre quelques-unes, d'être de la distribution d'encore trois autres productions de comédie musicale sur scène – dont *Madeleine de Verchères* –

La distribution complète de *Madeleine de Verchères*

Dans l'ordre habituel : Robert Lalonde, Marie-Lou Dion, Louise Portal, Jean Perreault,
Marjolaine Hébert, Daniel Gadouas, Christiane Pasquier, Maryse Pelletier, Gaétan Labrèche ;
devant, agenouillé avec la chienne Cybèle, Gilbert Comtois
© André Le Coz

et d'une production télévisuelle, un télé-théâtre à Radio-Canada, *D'abord l'amour*, où je tenais le rôle principal, aux côtés notamment de Jean-Jean qui y jouait mon amoureux (sic!). Moi qui aimais la musique et la danse autant que le théâtre, j'étais aux anges dans ces productions!

Pendant toutes les années 1970, les contrats se sont succédé assez régulièrement pour moi au théâtre, et plus encore à la télé : quelques séries pas très remarquées et moult premiers rôles épisodiques dans des séries plus importantes. Mais je restais sur ma faim. Les textes ne me rejoignaient pas vraiment.

Il était devenu plus difficile de ne pas agir que d'agir. Il fallait parler. Quoi dire ? Nous ne savions pas vraiment au point de départ. Mais les actrices ne pouvaient plus s'offrir sans donner vraiment d'elles-mêmes et les femmes ne pouvaient plus se taire. Il fallait dire pour échapper au mensonge, et parler, se dire à d'autres pour rattraper le temps perdu, grandir plus vite.[23]

C'est à la fin de 1977 que Louise et moi nous sommes engagées dans l'aventure d'*Où en est le miroir ?* Un tournant dans mon parcours d'artiste aussi bien que dans mon cheminement personnel. C'est alors que la corde de l'écriture s'est vraiment accrochée à mon arc, que cette couleur s'est ajoutée à ma palette de création, même si elle mettra ensuite quelques années avant de se manifester à nouveau professionnellement. Parallèlement, à travers notre vie commune (Louise et moi avons été colocataires pendant près de deux ans) et cette descente au « cœur de soi », j'ai pu faire un grand ménage intérieur, modifier certains com-

---

23   *Où en est le miroir ?* Louise Portal et Marie-Lou Dion, Éditions du remue-ménage, 1979.

portements et ainsi, sans le savoir, mettre la table pour pouvoir vivre par la suite la relation de couple la plus longue et la plus marquante de ma vie, avec mon Samouraï que j'allais rencontrer en mai 1978, peu après la fin des représentations de notre pièce.

Les années 1980

1980 est une année marquante : je décroche le magnifique rôle d'Antoinette dans *Le Temps d'une paix*. Rôle qui a bien failli m'échapper, mais j'ai rué dans les brancards pour l'obtenir, car j'étais intimement convaincue qu'il était pour moi. À la rencontre préalable avec Yvon Trudel, ce cher réalisateur m'avait fait lire la description d'Antoinette, et immédiatement j'avais voulu jouer ce personnage. Je m'y reconnaissais à de nombreux égards, particulièrement dans son farouche désir d'indépendance, et j'étais persuadée que je saurais interpréter ce rôle mieux que quiconque. J'obtins aisément une convocation pour auditionner.

Sauf que le jour de l'audition, j'étais en tournage pour une pub de bière. Grosse distribution, énorme équipe technique : les problèmes et les retards étaient à l'avenant. On m'avait dit que je devrais en avoir fini bien avant mon audition, mais les heures passaient, les difficultés se multipliaient, et le tournage avançait à pas de tortue. Tant et si bien que je dus appeler le bureau de Trudel pour informer son assistante que j'étais retenue par ce satané tournage et que, conséquemment, je ne pourrais pas me présenter ce jour-là ; je demandais donc au réalisateur de me recevoir le lendemain. D'abord, on refusa tout net : les auditions pour les rôles féminins se terminaient le jour même, et le lendemain, on ne recevait que les candidats pour les rôles d'hommes. Point à la ligne. J'ai insisté, j'ai argumenté, j'ai supplié, et en fin de compte, j'ai obtenu qu'on me reçoive le lendemain entre deux postulants masculins.

L'audition s'est très bien déroulée. En sortant, l'assistante du réalisateur m'a ouvert la porte de la salle et tout en la retenant m'a fait un clin d'œil, un grand sourire et un hochement de tête. J'avais le cœur gonflé d'espoir et le sentiment que j'avais tapé dans le mille. Effectivement, le lendemain matin vers onze heures, je recevais un appel de l'assistante qui m'apprenait que j'avais le rôle. Oh, joie !

Et ce n'était que le début ! Le cadeau qu'on me faisait là, à mesure que je le développai, se révéla être bien plus encore que ce qu'il y paraissait *a priori*. Non seulement j'avais entre les mains un personnage en or, mais j'ai pu vivre sept années de bonheur avec une équipe fantastique, tricotée serré comme une vraie famille, avec qui j'ai noué des liens étroits comme ceux qui existent souvent entre gens de théâtre, ce qui n'arrivait que très rarement à la télévision. Ce fut aussi l'occasion de rencontres individuelles infiniment précieuses, parmi lesquelles se tisseront des amitiés marquantes, notamment avec l'auteur Pierre Gauvreau et sa femme Janine Carreau.

Le Temps d'une paix a aussi connu une longue vie longtemps après le succès sans précédent de sa première diffusion (cotes d'écoute de 2,5 millions les dernières années ; jusqu'à 3 021 00 spectateurs pour le dernier épisode). Même à l'heure où j'écris ces lignes, on peut revoir la série sur les ondes d'ARTV ! Et certains d'entre nous ont continué de se fréquenter jusqu'à aujourd'hui. Je me considère toujours immensément privilégiée d'avoir fait partie de cette extraordinaire aventure.

Peu après, j'ai eu le plaisir de partager l'écran pendant trois ans avec mon cher camarade Jacques L'Heureux (le Valérien du *Temps d'une paix* – et pour de nombreuses générations, l'attachant Passe-Montagne de la célèbre série pour enfants *Passe-Partout,*

Claude Prégent et Marie-Lou Dion pendant le tournage
de l'émission *Le Temps d'une paix*
© André Le Coz

première mouture) dans *Un homme au foyer*, comédie de situation diffusée sur le réseau TVA.

À partir de 1983, je me suis également impliquée auprès de l'Union des artistes (UDA). J'ai longtemps hésité à m'y engager, mais j'avais vraiment à cœur de défendre nos droits trop souvent bafoués. D'abord membre du conseil d'administration, je devins secrétaire générale de 1988 à 1991. J'y présidai quelques commissions et comités. Je fus également la déléguée de l'UDA au Centre québécois de l'Institut international du théâtre (IIT), dont je devins vice-présidente, ce qui me valut de participer à quatre congrès de l'IIT. Tous les mandats qu'on me confia furent riches d'enseignements et m'amenèrent à élargir mes connaissances tout en développant des compétences qu'au départ j'ignorais même posséder. Sans compter les multiples rencontres et voyages que cette fonction me permit de faire, notamment en Allemagne de l'Est, en Finlande, en Corée du Sud et en Tunisie.

Ces années fastes sur le plan professionnel furent aussi riches en ce qui concerne ma vie privée. Au milieu des années 1980, mon Samouraï et moi avons aménagé dans une propriété sise en pleine forêt. Pour les deux Sagittaires que nous sommes, amants des animaux, la proximité des bêtes était une fête tous les jours : belettes, ratons laveurs, renards, porcs-épics, castors et surtout cerfs de Virginie étaient des visiteurs fréquents que nous accueillions tous deux avec une excitation d'enfant. Un jour, nous avons même vu un orignal égaré dans un de nos étangs ! Sans compter la multitude de variétés d'oiseaux qui venaient aux mangeoires, ceux qui chassaient dans l'herbe ou dans le ciel, ceux qui nichaient près des étangs et ceux qui s'affairaient plutôt à dénuder les cerisiers de leurs fruits. La proximité de toute cette faune nous ravissait.

Mon Samouraï adorait aussi les arbres et les connaissait bien ; il bûchait d'ailleurs lui-même notre bois de chauffage. Moi, je cultivais le potager et je m'initiais à la mycologie ; mes promenades en forêt, en quête des meilleurs champignons, revêtaient pour moi une aura de magie. Cette immersion dans la nature nous enchantait. Si bien qu'au cours de ces treize années, nous avons progressivement passé de plus en plus de temps dans nos terres plutôt qu'en ville.

Et progressivement aussi, le ralentissement de ma vie d'actrice s'accentua.

Les années 1990

Professionnellement, les premières années de cette décennie sont un peu creuses. Il faut dire que j'arrive à quarante ans, âge souvent fatidique pour les actrices, du moins à cette époque. J'ai quitté mes fonctions à l'Union en 1991, et outre une production de théâtre d'appartement qui comptera une quarantaine de représentations entre 1990 et 1992, et deux ou trois jours de tournage pour un téléfilm en 1993, mon agenda d'actrice est vide.

C'est alors que je me décide à m'inscrire à l'Atelier de mise en scène du Conservatoire. Ça fait déjà un bon moment que cette idée me turlupine : j'ai envie de faire de la mise en scène. J'en ai déjà tâté, il y a quelques années, et ce furent d'heureuses expériences où ma contribution fut appréciée. J'aimerais récidiver, mais je ne me sens pas assez outillée pour démarrer moi-même des projets. La formation offerte aux professionnels par le Conservatoire m'a toujours interpellée, car j'y vois le moyen de combler mes lacunes en ce domaine, mais jusqu'à maintenant, année après année, j'ai dû laisser passer cette occasion, faute de temps. Mais là, du temps, j'en ai : c'est le moment ou jamais ! Comme je l'ai écrit dans ma lettre d'intention lors de mon inscription : « Si tu restes immobile, la sueur qui tombe de ta monture creuse ta tombe. Alors, voyage ! » (proverbe rom)

Je me lance corps et âme dans cette nouvelle direction, qui entraînera un changement de cap plus radical que je ne l'aurais pensé. Je trouve d'ailleurs fascinant de voir comment les choses se sont enchaînées d'elles-mêmes depuis, comment, dans ma vie, chaque fois qu'une porte s'est fermée, une nouvelle fenêtre s'est ouverte. Je n'ai jamais eu de plan de carrière. J'ai juste été à l'affût de ce que la vie me présentait, en ouvrant les yeux et les mains pour saisir ce qu'elle voulait bien m'offrir. « Go *with the flow !* », comme on dit en anglais : « Suis le cours des choses ! », en toute confiance…

En 1993-1994, je suis donc plongée à plein temps dans cette formation qui répond tout à fait à mes attentes. Et l'année suivante, après bien des hésitations, j'accepte le poste qu'on m'offre au Conservatoire comme adjointe à la direction.

En parallèle, je peux continuer à pratiquer mon métier d'actrice, qui se ravive un peu grâce à une exquise série pour enfants, *La Princesse astronaute*, dans laquelle je joue la Fée Minisse, personnage épisodique qui n'apparaît qu'*in extremis*, lorsque sa filleule bien-aimée, la princesse astronaute elle-même, jouée par Pascale Bussières, est vraiment dans le pétrin. Peu d'apparitions, mais chaque fois, je m'amuse follement à jouer ce personnage coloré.

Alors que je suis toujours en poste au Conservatoire d'art dramatique, l'Atelier d'opéra du Conservatoire de musique fait appel à mes services, m'invitant à collaborer avec deux autres metteurs en scène pour monter un spectacle. C'est merveille pour moi d'être demandée comme metteure en scène tout de suite après ma formation, sans même avoir encore fait la moindre démarche.

Et qui plus est, d'être appelée à travailler à un opéra, à ce mariage de mes deux amours : la musique et le théâtre !

S'ensuivra la saison suivante, en décembre 1996, une invitation de l'Orchestre Métropolitain : ma première mise en scène de concert avec un orchestre symphonique. Qui plus est, j'en conçois le scénario et j'en rédige les dialogues. Quel formidable terrain de jeu ! Je m'y sens tel un poisson dans l'eau, émerveillée de voir comment toutes mes expériences antérieures viennent ici se conjuguer. J'y mets à profit à la fois mes connaissances musicales, mon expérience de la scène en tant qu'actrice, mon sens inné de l'organisation encore augmenté par mes années de services à l'UDA et cette formation toute récente en mise en scène. Sans compter l'écriture. Comme si tout ce que j'avais fait précédemment me préparait en réalité à faire exactement ce que je fais dès lors avec un si grand bonheur.

J'ai participé à quatre autres productions avec l'Orchestre Métropolitain, dont deux pour lesquelles j'ai également signé les textes. C'est à travers l'une d'elles que je fais la connaissance de Chantal Lambert, soprano, merveilleuse interprète et directrice de l'Atelier lyrique de l'Opéra de Montréal. Par la suite, je deviendrai en quelque sorte sa metteure en scène attitrée pour tous ses récitals – le dernier en liste en avril 2018. Notre collaboration ne s'arrêtera pas là. Et en cours de route, nous deviendrons aussi de très bonnes amies.

Les années 2000

Je repars à zéro, pour ainsi dire. Parce que quelques mois à peine avant la fin de 1999, j'ai dû quitter mon Samouraï, après vingt et un ans de vie de couple. Il était le centre de ma vie, et je rêvais de vieillir à ses côtés, mais…

Il faut savoir quitter la table
Lorsque l'amour est desservi
Sans s'accrocher l'air pitoyable
Et partir sans faire de bruit.

Il faut savoir, coûte que coûte
Garder toute sa dignité
Et, malgré ce qu'il nous en coûte
S'en aller sans se retourner.[24]

Contrairement à ce que dit Aznavour plus loin dans cette chanson – «*mais moi, je t'aime trop, mais moi, je ne sais pas*» –, moi, j'ai su. Parce que tout avait pris un goût amer entre nous, et je dus me rendre à l'évidence : mon compagnon avait quitté le navire depuis un moment déjà ; je me retrouvais seule à bord de ce paquebot qui filait droit sur un iceberg où il allait s'écraser, et si je restais là, cette collision allait certainement m'être fatale. De toute manière, depuis des mois, je me mourais déjà à petit feu aux côtés du bien-aimé dont je ne reconnaissais plus le regard, drapé dans son mutisme et manifestant de plus en plus d'animosité à mon endroit. Les heurts se multipliaient, et je ne savais plus comment me comporter. Son évidente désaffection me broyait le cœur.

Alors, avant que les choses ne s'enveniment encore davantage et ne viennent balayer complètement la richesse, la beauté, l'étendue de tout ce que nous avions si amoureusement partagé avec tant de bonheur pendant les dix-neuf premières années de

---

24   *Il faut savoir*, célèbre chanson de Charles Aznavour.

notre union, j'ai sauté. Les mains vides, sans travail, sans argent. Je perdais du même coup ce lieu qui m'était si cher, cette maison, cette forêt, ces étangs, la proximité des bêtes... Je sautais du haut d'une falaise si élevée que je ne pouvais même pas en voir le pied. Un indicible vertige ! Mais... « *Leap and the net will appear !* »[25]

Après avoir perdu plusieurs kilos, pleuré toutes les larmes de mon corps des semaines durant, médité des centaines d'heures au cours de plusieurs mois, noirci des pages et des pages, j'ai peu à peu regagné mon pouvoir. Sur moi-même et sur toute ma vie.

Au cours des deux années qui ont suivi, peu à peu, le travail aussi est revenu. Un peu de doublage, un peu de pub, deux mises en scène pour une conteuse... Et bientôt, un nouveau volet : l'enseignement. Je deviens coach de jeu théâtral et de diction française à l'Atelier lyrique de l'Opéra de Montréal en 2002, activité qui se poursuivra jusqu'en 2008. Suivront mes premiers ateliers de jeu pour chanteurs lyriques dans le cadre du programme de formation continue de l'Union des artistes.

Parallèlement, je commence à recevoir en privé des élèves que m'envoient des professeurs de chant ou des répétiteurs, ou bien des chanteurs qui m'ont connue à travers mes ateliers et qui viennent me voir pour les aider à préparer une audition ou un rôle, ou tout simplement pour améliorer leur jeu scénique en général.

Mon travail à l'Atelier lyrique prend une autre tournure quand l'Orchestre symphonique de Montréal fait appel à l'Atelier pour une première participation à un concert jeune public. C'est ainsi qu'à compter de 2002 jusqu'à 2010, je serai amenée à collaborer à la conception et à l'élaboration du programme musical de cinq autres concerts jeunesse à l'OSM ; j'en assumerai

---

25   Citation de John Burroughs. En français : « Saute, et le filet apparaîtra. »

Aventure en mer, première représentation ; juste avant le concert, derniers échanges
entre le chef Jean-François Rivest et la metteure en scène Marie-Lou Dion,
sous le regard attentif du comédien Patrice Dubois.
© Caroline Laberge

la mise en scène, ainsi que l'écriture du scénario et des dialogues. Quatre de ces concerts seront en lice pour le prix Opus catégorie « Production de l'année – jeune public », et deux en seront les lauréats.

Ma carrière se déploie donc comme metteure en scène au cours de cette décennie, exclusivement dans le domaine de la musique classique. Le métier d'actrice ne me manque nullement ; j'ai un plaisir fou à concevoir et à mettre en scène des spectacles, à en écrire les textes, de même qu'à coacher des chanteurs et des chanteuses. Du reste, enseigner le jeu exige qu'on joue aussi très souvent pour ses élèves… Je considère donc que j'ai toujours continué de jouer. Et comme tout professeur vous le dira, on apprend énormément en enseignant. Ainsi, au fil des ans, je crois n'avoir jamais cessé de développer mon art comme actrice, même si je n'ai plus eu l'occasion de me produire en public. Cela dit sans aucune amertume, car la mise en scène, l'enseignement, aussi bien que l'écriture dramatique ont comblé mes besoins d'expression artistique et m'ont procuré un réconfortant sentiment d'être utile, plus évident que celui que j'ai pu éprouver en tant qu'actrice.

Un amour impossible

C'est dans ce milieu de la musique classique, à l'occasion d'un travail de mise en scène, que j'ai rencontré le beau Géant anglais qui est venu bouleverser ma vie.

Ce fut une rencontre foudroyante ! Le sachant marié, j'ai bien tenté de résister à ses avances ; j'ai détourné le regard de cette main tendue vers moi au travers de la table, poursuivant la conversation comme si je n'avais rien vu. Mais peine perdue. Un autre geste de sa part, tout ce qui bouillonnait dans les regards que nous échangions depuis le début de cette soirée d'après-concert, la découverte de tant de points communs, une attirance magnétique, eurent tôt fait de nous pousser l'un vers l'autre dans un élan fulgurant, aussi irrépressible pour lui que pour moi. Avec le sentiment réciproque de se connaître depuis toujours... Le début d'une liaison ardente qui durera un peu plus de deux ans ; un merveilleux, enivrant et ravageur amour impossible : « L'amour au mauvais moment, au mauvais endroit, avec la mauvaise personne. L'amour impossible. L'amour inattendu, importun et irrésistible. »

Le remarquable ouvrage dont est tirée cette citation, *L'amour impossible*, de Jan Bauer, a pour sous-titre « La folie nécessaire du cœur »... Oh, fol amour ! Comme ce cœur s'était ouvert ! Comme jamais auparavant, sans réserve aucune, se sentant en totale résonance, en parfaite harmonie avec l'Aimé, qui ne pouvait être, bien sûr, que son âme sœur. Ah, son rêve enfin réalisé ! Une véritable symbiose. Quelle ivresse, quelle douce folie ! Qui toutefois allait devenir bien amère, car le rêve allait tourner au cauchemar quand, un peu plus de deux ans plus tard, la présumée âme sœur allait demander à rompre. Je me retrouvai alors jouant le mauvais rôle de la maîtresse dans ce classique scénario où le mari démasqué, menacé par l'épouse de perdre son foyer et sa famille, prit le parti de renoncer à son amante et de rentrer sagement au bercail.

Je n'eus d'autre choix que d'ouvrir les mains et le regarder partir. Mais la fusion entre nous avait été telle jusqu'alors que la séparation ne put se réaliser qu'à l'arraché, me déchirant l'âme, détruisant ses fibres les plus délicates et me laissant avec l'atroce sensation d'avoir été éviscérée. Après la montée au paradis, ce fut une interminable plongée en enfer. La dévastation. L'abîme. Et il fallut quelques années avant que je puisse entamer la remontée vers la guérison, qui fut lente et pénible.

Dans son livre, Jan Bauer dit encore :

« L'amour impossible n'est pas pour tout le monde ; ce n'est pas non plus le seul bouleversement susceptible de catapulter les gens normaux dans des états anormaux. Il n'est qu'un des nombreux chemins de souffrance et de conscience susceptibles de conduire l'être humain vers une nouvelle profondeur et un nouveau sens. »[26]

Je mettrai longtemps à donner un sens à cette histoire, et je n'ai peut-être pas encore tout déchiffré, mais chose certaine, transformation il y eut. Au fil des années qui suivirent cette rupture, j'ai peu à peu pris conscience des relents en moi de besoins infantiles et d'attentes immatures, qui sous-tendaient ce languissant et persistant désir de fusion avec l'Autre. M'est apparu combien illusoire et narcissique pouvait être cette quête de valorisation de soi dans le regard de l'autre et lentement, mais sûrement, je m'en suis affranchie.

Parallèlement à cette épreuve, une autre malheur est venu ébranler mes fondations. Ces deux chocs successifs m'ont décapée pour ainsi dire, entraînant par la suite un étonnant lâcher-prise, l'abandon de façons de faire et de règles que je m'imposais sans trop m'en rendre compte, en tentant inconsciemment de correspondre à ce que j'aurais voulu être ou à ce que je croyais que les autres attendaient de moi.

---

26   *L'amour impossible*, Jan Bauer, Le Jour, 2000.

La perte d'un autre grand amour

À peine un mois après la fin brutale de cette relation fusionnelle, ma mère fut frappée par un diagnostic de grave cancer et elle en mourut quatre ans plus tard.

Je ne m'attendais pas à ce que la mort de ma mère ait sur moi un impact aussi considérable. Contrairement à la mort soudaine de notre père, emporté par un infarctus à l'âge de quarante-six ans, alors que j'en avais vingt-cinq et ma sœur vingt et un, nous avions pu nous préparer au décès de notre mère, qui nous avait en quelque sorte été annoncé quelques années à l'avance. Un cancer lui avait été diagnostiqué à l'été 2005, et son refus de subir la très grave intervention chirurgicale proposée en guise d'unique traitement lui laissait un pronostic de cinq ans à vivre. Cependant, un deuxième cancer vint s'ajouter au premier et la maladie eut raison d'elle plus tôt ; elle nous quitta en 2009.

Même si je m'y étais préparée mentalement, le départ de maman m'a vivement affligée et m'a laissée longtemps avec un déroutant sentiment de vide. Sentiment qui n'est pas apparu tout de suite, dans les jours ou même les premières semaines qui ont suivi, mais à la longue... Son amour me manquait terriblement ! Sans elle, je n'étais plus la personne la plus importante aux yeux de quiconque ; tandis que de son vivant, ma sœur et moi étions, à parts égales, les êtres qui importaient le plus au monde dans son cœur si aimant.

À ma grande surprise, son absence me fut plus douloureuse que ne l'avait été celle de papa, dont je m'étais pourtant toujours sentie plus proche. Nous avions, lui et moi, une telle connivence, une telle complicité ! Il avait été, bien sûr, mon premier amour, comme pour toutes les filles, mais aussi mon premier maître à penser. Cependant, environ deux ans avant sa mort tragique au Maroc, où il se trouvait en second voyage de noces avec ma mère, j'avais senti le besoin de prendre une distance vis-à-vis de lui. Tout en lui conservant mon affection, je m'étais écartée de lui, voulant m'affranchir de l'emprise qu'il exerçait sur moi, me défaire notamment de ce réflexe que j'avais encore de lui soumettre presque toutes mes décisions importantes pour obtenir son approbation avant de passer à l'action. Encore une fois, mon impérieux besoin d'indépendance s'était manifesté… Bien que sa mort m'eusse causé une peine immense, sur le coup j'avais ressenti son départ définitif comme une délivrance.

Rien de tel quand maman s'en est allée. J'en ai éprouvé un sentiment de perte bien plus profond et à bien plus long terme qu'après le décès de papa. Il est vrai que le lien à la mère est unique, inscrit dans nos cellules mêmes, qu'on le veuille ou non, qu'on en soit conscient ou non. Une amie m'avait dit: « Quand maman est morte, j'ai eu l'impression d'être toute coupée en petits morceaux. » Un autre proche m'avait confié: « Moi, au départ de maman, c'est comme si j'avais été démolécularisé! » Pour ma part, je me suis longtemps sentie perdue, sans repères… Orpheline.

Paradoxalement, j'ai perçu sa présence pendant longtemps: elle était « là », m'aidant à lâcher prise, à apprivoiser, à intégrer cette paix qu'elle m'a laissée en partant, de la manière la plus inattendue…

C'était lors de la cérémonie d'adieu au salon funéraire, en présence de nombreux parents et amis. Il y avait eu en premier lieu l'hommage que ma sœur et moi lui avions adressé conjointement, puis des témoignages de quelques proches, des chants accompagnés au piano et enfin, quelques textes choisis, lus par un officiant laïc. À la toute fin, ce dernier nous invita tous à venir tour à tour poser la main sur l'urne renfermant les cendres de maman, afin de lui faire nos derniers adieux.

Comme j'étais l'aînée de la famille immédiate, assise au premier banc, je me suis sentie tout naturellement incitée à y aller la première. Je m'exécutai donc. Puis, je revins à ma place, tandis que tous les autres à la queue leu leu s'avançaient vers l'urne pour s'exécuter à leur tour. Une fois assise, je fermai les yeux pour me recueillir en ne pensant qu'à maman. Après un court moment, j'ai senti la présence de quelqu'un dans mon aura : quelqu'un était là, devant moi, très, très près de moi. J'ai ouvert les yeux pour voir de qui il s'agissait et j'ai sursauté, parce que... il n'y avait personne ! Et au même instant, j'ai ressenti physiquement une masse d'énergie entrer en moi d'un coup, au niveau du cœur. J'ai refermé les yeux aussitôt, interloquée, et cette énergie s'est dispersée dans tout mon corps en une chaleur bienfaisante, m'imprégnant d'un incroyable sentiment de paix.

Cette paix, c'est l'immense cadeau que ma mère m'a donné, à cet instant même, en nous quittant. Une paix qui s'est enracinée profondément dans mon cœur, où je peux toujours la retrouver, la toucher et ressentir son inestimable bienfait.

Aujourd'hui

Sur mon frigo, parmi les cartes postales, les photos et les citations, se trouve cet encart découpé il y a quelques années dans je ne sais plus quelle revue et que je garde précieusement. Il m'est souvent arrivé d'en faire la lecture à quelque invité de passage, ravi d'en prendre connaissance ; je le relis moi-même à l'occasion, toujours avec un sourire :

PLUS ON VIEILLIT, PLUS ON EST HEUREUX

Pas facile, le bonheur... À 25 ans, on court après le sens de la vie ; à 35 ans, après ses ambitions ; à 45 ans, après la conciliation travail-enfants-parents vieillissants... La bonne nouvelle ? C'est à partir de 60 ans qu'on est le plus heureux, concluent de nombreuses études, ici comme ailleurs sur la planète. C'est sans doute dû au fait qu'on a alors moins de contraintes et de responsabilités, mais c'est aussi le fruit de l'expérience : on a appris à faire la part des choses, à se connaître, à s'accepter – soi-même et ses proches –, et surtout à apprécier les petits bonheurs quotidiens. Encourageant, non ?

N'est-ce pas ? Si le grand âge apporte son lot de petits ennuis et de deuils plus ou moins grands, il procure aussi détachement, sagesse et sérénité, trois précieux alliés du bonheur.

Dans le très bel ouvrage de Jocelyne Saucier qui se penche sur l'histoire de quelques « vieux » épris de liberté, *Il pleuvait des oiseaux*, il est une phrase d'une grande justesse qui m'a particulièrement frappée :

« Le grand âge lui apparaissait comme l'ultime refuge de la liberté, là où on se défait de ses attaches et où on laisse son esprit aller là où il veut. »

À l'aube de mes soixante-dix ans, c'est tout à fait ce que je ressens, ce que je vis. Liberté ! Si chère, si précieuse liberté ! Longuement, patiemment acquise. La liberté d'aimer ce qu'on veut, quand on veut ; qui on veut, quand on veut ; sans raison, pour la simple et merveilleuse joie d'aimer. Aimer librement, aimer plus, aimer mieux. Ses amis, ses proches, son voisin, la caissière de l'épicerie, le chat d'en face, ses plantes dans la fenêtre et cette petite araignée qui tisse une si jolie toile sur le balcon… Alouette! Aimer la vie même, la vie qui déborde de tant de choses et d'êtres à aimer…

J'ai correspondu pendant plusieurs années avec un ami globe-trotter, aujourd'hui décédé, qui signait souvent ses cartes postales ou ses lettres de cette phrase : « Je t'aime, parce que je t'aime, X ». J'ai mis un certain temps à en comprendre le sens, à y voir une expression de gratitude pour l'occasion d'aimer que l'autre nous offre : je t'aime, parce que tu me permets d'aimer.

Je ressens plus que jamais cette infinie gratitude envers mes proches parents et tous mes amis, ces précieuses fleurs de mon jardin d'amour qui embaument et embellissent ma vie.

J'ai eu la chance d'être mise en contact à l'âge de dix-huit ans avec les *Lettres à un jeune poète* de Rainer Maria Rilke. Une révélation! Ces mots, ces pensées, ces profondes réflexions de Rilke, en particulier sur la vie créatrice, sur la solitude et sur l'amour, mon âme s'y réfléchissait comme dans un miroir. Dès lors, la petite plaquette d'une centaine de pages devint ma bible, et elle l'est encore à ce jour. C'est le livre que j'ai le plus souvent offert tout au long de ma vie.

Dès l'aube de ma vie de femme, j'ai fait mienne la vision de la relation amoureuse que propose l'auteur autrichien :

« L'amour ne sera plus le commerce d'un homme avec une femme, mais celui d'une humanité avec une autre. Plus près de l'humain, il sera infiniment délicat et plein d'égard, bon et clair dans toutes les choses qu'il noue ou dénoue. Il sera cet amour que nous préparons en luttant durement : deux solitudes se protégeant, se complétant, se limitant, et s'inclinant l'une devant l'autre. »

Aujourd'hui, il m'apparaît que cela correspond également à la définition de l'amitié. De ces rares amitiés qui durent des décennies ; de celles où l'on peut être des semaines sans se parler, des mois sans se voir, et se retrouver comme si on s'était vus la veille ; de ces rapports privilégiés où l'on peut être entièrement soi-même, avec ses faiblesses aussi bien que ses forces, sans craindre de jugement ni d'abus ; de ces amis sur lesquels on sait qu'on peut compter, à toute heure du jour ou de la nuit si besoin est ; de ceux et celles avec qui on échange cœur à cœur, qui savent accueillir les larmes aussi bien que susciter le rire et même l'autodérision. Il y a dans ces amitiés un amour inconditionnel, tel qu'on en trouve extrêmement rarement dans la relation amoureuse, presque toujours teintée d'une attente de réciprocité des sentiments, souvent même jusque dans la manière de les exprimer.

Avec ma famille immédiate, mes grands amis sont ce qui m'est le plus essentiel. Je suis infiniment reconnaissante à chacune d'elles, à chacun d'eux, d'être toujours là, de me gratifier encore et toujours de leur affection et de leur indéfectible amitié, de me permettre d'aimer encore et encore. Et mon vœu le plus cher est que la vie me les conserve toutes et tous jusqu'à mon dernier souffle.

Chères Christiane et Louise, vous en êtes, au premier titre. Merci d'être là. Et merci pour cette joyeuse aventure que nous venons de partager et qui ajoute de si beaux fils à la magnifique trame de nos amitiés. Je vous aime !